Sonnja und die Leichtigkeit des S

Text: Ruth Scherrer
Gestaltung: Andrea Scherrer

Herstellung und Verlag:
BoD - Books on Demand, Norderstedt

ISBN: 978-3-7526-2951-4

Sonnja und die Leichtigkeit des Seins

Geschichten für das innere Kind
von Ruth Scherrer

Inhaltsverzeichnis

In dem Moment, in dem der Verstand aufhört,
etwas verstehen zu wollen, bekommt das Herz Raum,
um sich zu öffnen.

Vorwort

Liebe Leser*innen

Kennen Sie Ihr inneres Kind?
Genau wie wir, hat es seine eigenen Launen und somit einen Einfluss darauf, wie es uns geht und wie wir im Leben vorankommen.
Es kann uns unterstützen und anfeuern; dann fühlen wir uns voller Energie und alles geht leicht.
Es kann uns aber auch gewaltig ausbremsen, nämlich immer dann, wenn wir über eine längere Zeit unser Herz und unser Bauchgefühl ignorieren und nur mit Hilfe des Verstandes unseren Pflichten nachgehen.

Wann immer ich in den letzten Monaten mit meinem Verstand irgendwo anstand, habe ich mich zusammen mit meinem inneren Kind hingesetzt und es gebeten, mit mir eine Geschichte zu schreiben.
Dies war eine schöne Erfahrung, denn es gab mir eine neue Sicht auf die Dinge. Das innere Kind sieht mit den Augen des Herzens und hat somit seine eigene, intuitive Logik.
Vielleicht stellen Sie sich beim Lesen vor, Ihr eigenes inneres Kind sitzt auf Ihrem Schoss und hört Ihnen beim Lesen zu.

Ich wünsche Ihnen viel Freude dabei

Ruth Scherrer

Wie alles begann

Das Sonnenmädchen Sonnja war eigentlich nur deswegen auf die Erde heruntergekommen, weil es noch einmal so richtig scheinen und die Menschen zum Lachen und Strahlen bringen wollte.

Sonnja wollte dabei sein, wenn sich auf dieser Erde alles verändert, alles wieder hell, fröhlich und schön wird, und eines wollte sie ganz unbedingt; diesmal wollte sie alles richtig machen.

Am Anfang gelang ihr dies ganz gut. Sie war klein, süss, strahlte alle an, die Menschen strahlten zurück, alle mochten sie und die Welt war bunt und in Ordnung.

Doch je älter Sonnja wurde, desto mehr begann sie sich zu wundern.

Wie konnte es sein, dass so gar nichts auf dieser Erde lief, wie sie es sich vorgestellt hatte?

Sie hatte gedacht, das Leben sei interessant und mache Spass. Aber wenn sie die Sorgen auf den Gesichtern der Menschen sah, das Lachen, welches nicht aus den Augen strahlte, die Schadenfreude, welche die Menschen zum Lachen brachte und die Trauer all der kleinen Sonnen, welche sich unverstanden fühlten, wurde sie nachdenklich.

Und da erinnerte sie sich wieder. Genau das war der Grund, warum sie nie wieder auf diese Erde zurückkehren wollte. Sie wollte nie wieder mitansehen, wie die Menschen gemein zueinander waren. Wie sie sich, um sich vermeintlich zu schützen, Lügen erzählten und sich gegenseitig Steine in den Weg legten.

Sahen sie denn nicht, was sie damit anrichteten? Sahen sie denn nicht, dass alle Menschen und Tiere, ja überhaupt alle Wesen auf dieser Welt, mit dem Licht verbunden sind?

Sahen sie denn nicht, dass ihre Art, über Dinge und Menschen zu sprechen, eine entsprechende Energie verbreitete?

War ihnen tatsächlich nicht bewusst, dass von all dem was sie sagen und tun, immer eine bestimmte Farbe, eine Schöpferenergie ausgeht?

All das machte die kleine sehr nachdenklich. Bald kam die Zeit, in der sie zur Schule durfte, und eigentlich freute sie sich darauf. Aber sie war nicht mehr so unbekümmert und strahlend wie einst, jetzt war sie oft ernst, manchmal auch misstrauisch und zurückhaltend.

Was sie inzwischen tatsächlich selbst vergessen hatte, war, dass ernste und misstrauische Menschen eine entsprechende Farbe aussenden. Diese Farbe ist wie ein unangenehmer Geruch, die Menschen mögen ihn nicht besonders.

So kam es, wie es kommen musste; die Menschen mochten die kleine Sonne nicht besonders. Dies betrübte sie noch mehr, doch es bestätigte ihr Weltbild; die Menschen waren gemein.

So entschied sie sich, überhaupt nicht mehr zu scheinen. Wozu auch, es war eh alles nur Zeitverschwendung auf dieser Erde. Sie betete jeden Abend zu ihren Sternengeschwistern, sie mögen sie doch abholen.

In der Nacht, wenn die Kleine schlief, wurde sie von ihren Sternengeschwistern gehalten und getröstet und immer wieder mit einer Portion Leichtigkeit und Glück ausgestattet. Dann machte das Leben der kleinen Sonne wieder Spass. Doch dies hielt leider nie lange an.

Je länger Sonnja auf der Erde weilte, umso mehr verging ihr das Strahlen. Mit der Zeit vergass sie sogar, dass sie eine Sonne war.

Auch wenn sich die Zeiten immer wieder änderten, auf schwierig folgte leicht, auf dunkel folgte hell, war und ist es ein Naturgesetzt, dass sich auch dies wieder ändert.

Kein Licht ohne Schatten, auf Ebbe folgt Flut, aber danach kommt wieder Ebbe. Dies hatte Sonnja irgendwann begriffen, doch noch immer fand sie das Ganze einfach nur sinnlos und anstrengend.

Inzwischen hatte ihr das Leben einen lieben Mann und zwei gesunde Kinder geschenkt. Doch Sonnja war so darauf bedacht, alles richtig zu machen und den Sinn des Lebens zu finden, dass sie kaum Zeit für Freude und Spass fand.

Sie weigerte sich noch immer, ihr Licht frei und bedingungslos scheinen zu lassen. Sie selektierte sehr genau, wer ihr Licht verdiente und wer nicht.

Da sie ein Sonnenkind war, war ihr Licht sehr stark. Wenn sie es dann doch einmal einem Menschen schenken wollte, um ihm zu zeigen, dass sie ihn mochte, war diese gebündelte Kraft für den Empfänger oft zuviel und daher unangenehm.

Dies zeigte Sonn nur, dass auch diese Qualität nicht geschätzt und nicht gebraucht wurde und überhaupt, was sollte sie sich ins Leben einbringen, wenn sie nicht wusste wie.

So wurde sie über eine sehr lange Zeit sehr krank. Trotz allem bemühte sie sich, ihren Sonnenkindern eine gute Mutter zu sein. Doch wie konnte sie ihre Kinder von Herzen anstrahlen, wenn ihr Herz schwer war und sie ihr Strahlen selbst nicht mehr finden konnte?

Aber manchmal, wenn sie mit ihren Kindern beim Spielen war, war es plötzlich wieder da. Diese Selbstverständlichkeit und Unbekümmertheit. In solchen Momenten konnte sie sich wieder an ihr Strahlen erinnern.

Im Laufe der Zeit bemerkte sie, dass dieses Strahlen und diese Leichtigkeit des Seins auch bei ihren Sonnenkindern zu verschwinden begann. Auch sie begannen, alles richtig machen zu wollen.

Dies veranlasste Sonnja, zu erforschen, was denn eigentlich richtig und was falsch war.

Sie wollte herausfinden, wie man sich sein Licht und seine Leichtigkeit zurück erobern konnte.

Sie wusste, dass es Menschen gab, welche auch im hohen Alter noch aus den Augen strahlten und aus dem Herzen lachten.

So verschrieb sie den Rest ihres Lebens dem Ziel, herauszu-
finden, was das Leben leicht macht.
Ihr könnt euch kaum vorstellen, was für Menschen, Tiere und
Fabelwesen, Sonnja auf ihrer Forschungsreise traf und was ihr
all diese Wesen erzählten.
Ein paar dieser Geschichten findet ihr in diesem Buch.

Europa

Als erstes besuchte Sonnja ihre Nachbarin, Frau Müller. Sonnja war aufgefallen, dass diese in letzter Zeit viel lebendiger und fröhlicher wirkte. So war es naheliegend, die Forschungsreise bei Doris Müller zu beginnen.

Diese freute sich sehr über den Besuch, bat Sonnja herein und machte ihr einen Tee.

Wie geht es dir?

Die Wohnung von Frau Müller erzählte viele Geschichten von all den Menschen, welche einmal dort gelebt hatten. Jetzt waren nur noch Frau Müller und ihr Papagei übriggeblieben.

Der Papagei war auch schon in die Jahre gekommen und sprach nicht mehr viel, doch immer wieder fragte er Doris: «Wie geht es dir?»

Da Doris sonst kaum jemanden zum Reden hatte, gab sie dem Papagei immer wieder gerne Antwort. Sie erzählte ihm von ihrem Sohn, welchen sie nur selten zu Gesicht bekam, von ihren Töchtern, die eine glücklich verheiratet, die andere etwas einsam, und immer wieder erzählte sie von ihrem verstorbenen Mann, mal Gutes, mal weniger Gutes.

So vergingen die Jahre, die Nachbarn im Haus kamen und gingen, die einen waren nett, die andern weniger, und immer wieder fragte der Papagei: «Wie geht es dir?»

Als Doris gerade mit einer Geschichte antworten wollte, fragt der Papagei wieder: «Wie geht es dir?» Wieder holte Doris aus und sogleich fragte der Papagei erneut: «Wie geht es dir?»

Da fiel es Doris wie Schuppen von den Augen. All die Jahre hatten die Menschen Doris gefragt, wie es ihr geht und immer hatte Doris ihr Wohlergehen auf ihre Aussenwelt bezogen. Immer hatte sie erzählt, was die andern taten, oder nicht taten, und immer hatte sie geglaubt, dies sei die Antwort darauf, wie es ihr ging.

Nachdenklich setzte sich Doris in ihren Lieblingssessel und machte sich zum ersten Mal Gedanken darüber, wie es ihr ging. Ihr Mann war schon lange gestorben, also konnte er das aktuelle Leben von Doris kaum noch beeinflussen. Den Kindern ging es, wie es ihnen halt gerade ging, und egal wie oft sich Doris für ihre Kinder aufregte, ängstigte oder sorgte, nichts änderte sich daran, dass sie ihr Leben selbst leben mussten.

Wenn sie wenigstens auf ihre Ratschläge und Lösungsvorschläge hören würden, doch diese interessierten sie selten. Dies stimmte Doris immer wieder traurig. Wozu hatte sie all die Lebenserfahrungen gesammelt, wenn sich nicht einmal ihre eigene Familie dafür interessierte?

Schon als Kind fühlte sich Doris immer etwas einsam und unverstanden. Sie sagte Dinge, welche die Erwachsenen nicht verstanden, oder zumindest überraschten. Dies wiederum überraschte Doris, denn sie sagte doch nur, was für sie selbstverständlich und offensichtlich war. Irgendwann gewöhnte sich Doris ab, von ihren Wahrnehmungen zu sprechen. Doch nicht nur das, sie sagte auch sonst kaum noch etwas, denn wie konnte sie unterscheiden, was die Menschen hören wollten und was nicht?

Als Kind war das einfach, denn die Eltern und die Lehrer sagten ihr, was sie von ihr wollten und Doris gehorchte.

Freundinnen hatte sie nie viel, denn wie das Denken und Verhalten unter Schulfreundinnen funktionierte, verstand sie nicht. Mal waren die Mädchen beste Freundinnen, dann wieder nicht, wen kümmerts.

Die Jungs waren in dieser Beziehung viel ehrlicher, sie prügelten sich und dann war alles wieder gut. Darum spielte Doris lieber mit den Jungs.

Am Ende der Schulzeit frage sie ihre Mutter, welche Ausbildung es brauchte, um einen sicheren Job und ein sicheres Einkommen zu erlangen. Obwohl Doris viel lieber etwas Anderes gelernt hätte, vertraute sie dem Rat ihrer Mutter.

Irgendwann verdiente Doris ihr eigenes Geld, kam dadurch zu mehr Freiheit, ging auf Reisen, verliebte sich und bemühte sich wie alle anderen zu sein und sich immer wieder anzupassen.

Sie fühlte sich von den Menschen bestätigt, dass man sich eben anpassen musste, um nicht allein dazustehen und gut durchs Leben zu kommen.

Da Doris auf keinen Fall allein sein und unbedingt Kinder haben wollte, freute sie sich sehr über den Heiratsantrag von ihrem Mann, über die schöne Hochzeit mit vielen Gästen und über ihre Kinder.

Sie liebte es, mit den Kindern zu spielen, draußen zu sein, Partys zu organisieren, die Wohnung sauber zu halten und schöne Abende mit Freunden zu verbringen.

Die Zeit verging wie im Flug, immer war etwas los. Die Freunde der Kinder kamen und gingen, Haustiere kamen ins Haus, bis sie irgendwann verstarben, die Kinder zogen eines nach dem anderen aus. Kurz darauf verstarb ihr Mann. Alles was Doris blieb, war die Wohnung, die Erinnerungen und der Papagei mit der Frage: «Wie geht es dir?»

Da sich Doris diese Frage noch nie wirklich gestellt hatte, wusste sie gar nicht, wie sie eine Antwort finden sollte, ohne sich auf jemand anderen zu beziehen.

Sie entschied sich, einfach einmal sitzen zu bleiben und sich die Frage selbst zu stellen.

Am Anfang machte sie das etwas ungeduldig. Dann wurde sie gereizt, ihr Verstand ärgerte sich über diese doofe Frage, doch gleichzeitig wusste Doris, diese Frage ist wichtig.

Sie führte sich all die schönen Dinge, welche sie jetzt gerade umgaben, vor Augen. Ihre schöne Wohnung, all die praktischen und schönen Gegenstände darin, der gefüllte Kühlschrank…

Wieder merkte sie, dass auch diese Dinge ausserhalb von ihr waren. Dass diese Dinge ihr Leben sehr wohl bequem und sicher erscheinen liessen, doch auch diese Dinge sagten nichts darüber aus, wie es ihr gerade ging.

Also versuchte sie, ihren Verstand wieder zur Ruhe zu bringen. All diejenigen unter euch, welche dies schon einmal versucht haben, wissen, dass dies nicht einfach ist. Mit der Zeit gelang es Doris immer besser, ihre Gedanken und ihre Gefühle zu beobachten und plötzlich viel ihr etwas auf.

Wann immer sie über schöne und gute Dinge nachdachte, fühlte sie sich gut, wann immer sie sich Sorgen über etwas machte, oder sich über etwas oder jemanden beschwerte, erschien ihr das Leben schwer.

Hiess das, wie es ihr ging, war abhängig von ihren Gedanken?

Aber ihre körperlichen Schmerzen waren doch da, waren real.

Ehrlicherweise musste sie zugeben, dass es Tage gab, an denen die Schmerzen mehr waren und an anderen Tagen weniger. Woran das wohl lag?

Bis jetzt dachte sie immer, es sei abhängig vom Wetter, doch jetzt war sie sich nicht mehr so sicher, ob dem so war.

Auch fiel ihr auf, dass sie manchmal zufrieden aufwachte und manchmal schon am Morgen gereizt und übellaunig war, obwohl es noch gar keinen Grund dazu gab.

Je länger Doris über all diese Dinge nachdachte, umso spannender fand sie, was sie alles Neues über sich und das Leben entdeckte.

Erstaunlich war, je mehr Erinnerungen sie zuliess, desto mehr erfreuliche Dinge kamen zum Vorschein.

Es schien, als ob all die schweren Gedanken das Schöne und die Freude weit in den Hintergrund gerückt hatten. Seither setzte sich Doris jeden Morgen als erstes in ihren Lieblingsstuhl und fragte sich selbst: «Wie geht es dir?»

Nicht nur, dass das Leben durch diese Frage spannender wurde,

Doris hatte jetzt endlich jemanden, der sich wirklich für sie interessierte, nämlich sie für sich selbst.

Wenn jetzt jemand Doris danach fragte, wie es ihr ging, begannen ihre Augen zu leuchten, denn sie hatte ganz viel zu erzählen.

Wieder zuhause setzte sich Sonnja in den Garten, um sich alles aufzuschreiben. Es war ihr wichtig, am Schluss die Geschichten nochmal lesen zu können, um ja nichts zu vergessen.

Als es Zeit für das Nachtessen war, holte sie sich etwas Käse und Brot und setzte sich auf eine Decke ins Gras.

Plötzlich bemerkte Sonnja eine Ameise auf ihrem Brot. Obwohl sie wusste, dass sie mit dem Herzen alle Wesen verstehen konnte, war sie doch erstaunt, als sie bemerkte, dass ihr diese Ameise, welche sich als Joe vorstellte, eine Geschichte zutragen wollte.

Die Geschichte handelte von der Ameise Lisa.

Die Ameise Lisa

Lisa prahlte stehts mit ihrer Muskelkraft. Diese war nicht zu über-
sehen, denn fast ununterbrochen schleppte die Ameise Dinge
hin und her. Ihre kräftigen Arm- und Beinmuskeln stachen jedem
ins Auge.

Was die meisten aber nicht verstanden, war, warum Lisa immer
so viel herumzuschleppen hatte. Wenn man sie fragte, hatte sie
keine Zeit zu antworten, denn sie war ja beschäftigt. Sie war so
beschäftigt, dass sie oft nicht merkte, wie sinnlos sie gerade
unterwegs war.

Sie trug Dinge von da nach dort und wieder zurück, ohne einmal
genau hinzuschauen. Sie dachte, was vor ihren Augen lag, müsse
sie abtransportieren, auch wenn es nicht ihres war und niemand
sie darum gebeten hatte.

Sie hatte sich zur Aufgabe gemacht, Ordnung zu halten, koste
es was es wolle. Nur manchmal, wenn sie abends ins Bett ging,
fragte sie sich, ob denn das Ganze nie ein Ende hatte. Doch am
nächsten Morgen stand sie frisch und fröhlich wieder auf, rollte
die Ärmel nach hinten und räumte alles weg, was man ihr in den
Weg legte.

Dies hatte sich überall herumgesprochen, und so trieben die
anderen Ameisen ihre Scherze mit Lisa. Sie legten ihr alles
Mögliche vor die Füsse, vor allem die Dinge, welche sie selbst
nicht schleppen wollten.

Manchmal, in seltenen Fällen, merkte Lisa dies und wurde
wütend. Doch für diese Fälle hatten die Ameisen einen Trick.
Sie sagten Lisa, sie sei egoistisch, denn sie wussten, das wollte
sie auf keinen Fall hören. Dann zog Lisa den Kopf ein und ging
wieder an die Arbeit.

Eines Tages, als sie wieder fleissig vor sich hinarbeitete, legte ihr
jemand eine grosse Schale direkt auf ihren Weg. Da Lisa wegen

ihrem schweren Gepäck gebückt ging, lief sie direkt auf die Schale zu und schlug sich heftig den Kopf an.

Der Schale machte das nichts, die war aus Metall. Doch durch den heftigen Aufprall gab es einen lauten Ton, wie ein Gongschlag. Dieser Ton dröhnte Lisa heftig in den Ohren, aber sie liess sich nichts anmerken und arbeitete einfach weiter.

An diesem Abend ging sie sehr früh zu Bett. Als sie am Morgen aufstand, dröhnte ihr Kopf noch immer. Sie sah richtig krank aus. Ihre Freunde fragten sie, was passiert sei. Sie bestätigten Lisa, dass man ihr diese schwere Schale nicht in den Weg hätte legen dürfen.

Eine Freundin legte ihr die Hände auf den Nacken und rückte ihr den Kopf wieder zurecht. Doch auch das half nur bedingt, der Schlag hallte noch immer in Lisas Kopf nach.

So lief Lisa noch einige Tage mit etwas hängendem Kopf durch die Gegend. Sie musste sich verschiedene Kommentare anhören. Die einen fanden, sie sei selbst schuld, andere fanden, man müsse halt besser aufpassen und wieder andere zuckten nur ratlos die Schultern. Niemand konnte Lisa helfen. Wenigstens machte sie jetzt öfters eine Pause, denn so viel arbeiten wie bisher, konnte sie in diesem Zustand nicht.

Dies hatte zur Folge, dass die anderen zwar ihre Arbeit vor Lisas Füsse legen konnten, aber es half nichts, sie schaffte die zusätzliche Arbeit nicht mehr.

Da sie jetzt dafür mehr Zeit zum Hinsehen und Nachdenken hatte, wurde ihr bewusst, wie viel sie für andere gearbeitet hatte. Es wurde ihr klar, dass sie das in Zukunft nicht mehr wollte. Sie verkündete dies und staunte, dass die anderen Ameisen sie verständnisvoll anschauten und nickten.

Nur ihr bester Freund, Peter, dachte nicht daran, dass Lisa auch ihn meinen könnte. Schliesslich erledigte er ja auch viel für sie und so war es selbstverständlich, dass man sich gegenseitig half. Peter war sich nicht bewusst, dass er immer wieder Dinge für

Lisa erledigte, welche sie im Grunde selbst erledigen konnte. Er machte sich nützlich, wo es eigentlich gar nichts zu tun gab und dies nur, um seine eigenen Dinge nicht erledigen zu müssen.

So gab es zwischen den beiden immer wieder heftigen Streit. Doch keiner wollte gemein sein und keiner wollte genau hinsehen.

Eines Tages wurde es aber für beide zuviel, deshalb holten sie sich Hilfe bei einer Seherin. Diese schaute den beiden tief in die Augen. Das erste was sie sah, war, dass die beiden sich sehr lieb hatten. Was sie aber auch sah, war ihre Angst, sich zu verlieren. Daraus erfolgte, dass jeder dem anderen half und sich nützlich machte, um für den anderen unentbehrlich zu sein.

Als Lisa sich so heftig den Kopf gestossen hatte, hatte der Ton in ihrem Kopf etwas bewirkt. Sie sah plötzlich ganz klar, dass ihr diese Abhängigkeit Angst machte, und dass diese Angst den ewigen Streit verursachte.

Jeder wollte gesehen werden, jeder wollte gut und lieb sein. Doch inzwischen hatte Lisa verstanden, dass jeder auf seine Art lieb und gut war, dass keiner dafür zu kämpfen brauchte.

Peter hingegen konnte dies weder sehen noch verstehen, er dachte noch immer, er müsse allen helfen und immer zur Stelle sein.

Durch Lisas Unfall hatte sich auch im Dorf viel verändert. Die Ameisen hatten sich für ihr Verhalten geschämt und inzwischen die Verantwortung für ihre Pakete selbst übernommen. Da Lisa jetzt nicht mehr für alle anderen mittragen musste, hatte sie genügend Zeit, ihre eigenen Dinge selbst zu erledigen. Alle machten zufrieden ihre Arbeit, nur Peter war ratlos.

Wo sollte dies alles hinführen? Sein eigenes Packet tragen wollte er nicht, denn damit konnte er nichts anfangen. Den anderen helfen konnte er auch nicht, denn plötzlich wollte jeder sein Packet selbst tragen.

Er fragte sich oft, was denn nur mit dieser Welt los sei und ob ihn denn keiner mehr lieb hatte. Konnte ihn denn wirklich niemand mehr brauchen?

Doch wenn dann jemand kam und Peter um etwas bat, was er nicht tun wollte, wurde er sauer und fühlte sich ausgenutzt. So wurde er immer trauriger, doch helfen lassen wollte er sich nicht. Er war es gewohnt, dass er den anderen Ameisen half, darum wollte er diese bestimmt nicht um Rat fragen. Woher sollten diese wissen, was er brauchte?

So verzog er sich immer öfter in sein ruhiges Loch. Doch irgendwann war es auch dort vorbei mit der Ruhe. Egal wo er hinging, es rauschte ununterbrochen in seinen Ohren. Er konnte weder herausfinden, woher es kam, noch was er dagegen tun konnte.

In dieser Sache entschied er sich, sich doch helfen zu lassen und ging zum Arzt. Doch es kam, wie es kommen musste; der Arzt zuckte mit den Schultern und sagte, das hätten viele, niemand wisse woher es kam oder was man dagegen tun konnte.

Müde und enttäuscht ging Peter wieder nach Hause. Er hatte es ja gewusst, niemand konnte ihm helfen.

Was er aber nicht sah, war, dass Lisa jeden Abend für ihn betete, dass er eines Tages den Mut haben würde, sein eigenes Packet zu tragen und hineinzuschauen.

Denn Lisa wusste, was Peter sehen würde, wenn er den Mut hätte, in sein eigens Packet zu schauen.

Die Pakete, welche die Ameisen am wenigsten gerne selbst tragen wollten, waren diejenigen, welche viel alten Mist enthielten.

Zuunterst befand sich aber jeweils ein wunderschönes Geschenk, zusammen mit einem Spiegel. Wer sein Geschenk fand und in den Spiegel schaute, sah sich plötzlich mit den Augen der andern.

Er sah all die Liebe, welche er in die Welt strömte, all die Freude, welche er anderen Menschen brachte und verstand, dass er selbst ein Geschenk für die anderen war.

Sobald eine Ameise sich selbst so sah, hatte sie nie mehr das Gefühl, etwas tun zu müssen, um anderen zu gefallen oder etwas beweisen zu müssen, um geliebt zu werden. Denn jede Ameise war schon genug, einfach indem sie eine Ameise und da, auf dieser Erde, war.

Sonnja war tief berührt von dieser Geschichte. Konnte es sein, dass es gar nicht so wichtig war, dass man alles richtig machte? War es vielleicht wichtiger, sich selbst zu lieben und dies in die Welt zu strahlen?
Sie bedankte sich bei Joe für die schöne Geschichte und schenkte ihm zum Abschied ein paar Brot- und Käsekrumen.
Zurück in ihrer Wohnung, schrieb sie auch diese Geschichte in ihr Heft.

Am nächsten Morgen machte sich Sonnja auf den Weg zum Einkaufen.

Es war wieder ein wunderschöner, sonniger Tag, was sie dazu verleitete, einen Umweg durch den Park zu machen.

Im Park setzte sie sich auf eine Bank und streckte ihr Gesicht der Sonne entgegen. Noch während sie überlegte, woher sie wohl ihre nächste Geschichte bekam, hörte sie jemanden singen.

Als sie in die Richtung blickte, aus der dieses schöne Lied ertönte, sah sie direkt in die Augen von Lilly. Etwas an Lilly und ihrer Stimme faszinierte Sonnja. Sie stand auf und ging näher.

In diesem Moment hörte Lilly auf zu singen, stand auf und lief weg. Enttäuscht drehte sich Sonnja um und setzte sich wieder auf die Parkbank. Sie fragte sich, ob es ihre Schuld war, dass das Mädchen gegangen war.

Sonnja wusste es nicht, liess den Gedanken wieder ziehen und konzentrierte sich wieder auf sich selbst. Da bemerkte sie, dass sie Lust auf einen Kaffee hatte.

Gleich in der Nähe gab es ein kleines Bistro, dort setzte sie sich nach draussen und beobachtete die Menschen. Nach einer Weile kam die Bedienung. Sonnja staunte nicht schlecht, denn es war das Mädchen, Lilly, aus dem Park.

Nun war klar, wieso sie so plötzlich verschwunden war; sie musste wohl zur Arbeit.

Sonnja erklärte ihr, dass sie auf der Suche nach der Leichtigkeit des Seins sei und daher Menschen befragte, welche glücklich aussahen.

Lilly fand nicht gerade, dass sie glücklich aussah. Sie war zwar verliebt, hatte ein gutes Leben, der Studentenjob im Bistro war auch nicht schlecht, aber der bevorstehende Auftritt am Schulfest machte ihr Sorgen.

Trotzdem willigte Lilly ein, Sonnja am Abend in der Bar am Rande der Stadt zu treffen. Sonnja freute sich auf das Treffen und die Abwechslung, einen Abend in einer Bar zu verbringen.

Am Anfang wirkte Lilly noch etwas scheu und sprach leise, doch je länger sie erzählte, desto mehr taute sie auf.

Lilly

Als kleines Mädchen lebte Lilly in einem Dorf auf einem Bauernhof. Sie sang und tanzte leidenschaftlich gerne, verulkte regelmässig ihre Mitmenschen, erzählte oft Witze und war ständig zu einem Streich bereit. Doch dies kam nicht immer gut an und Lilly geriet immer wieder in Schwierigkeiten.
Irgendwann entschied sich Lilly, ab sofort nichts mehr zu tun, was die anderen doof finden könnten und hörte auch auf zu singen.
Egal wie sehr ihre Eltern sie baten, an Familienfeiern wieder zu singen oder etwas darzubieten, die Antwort von Lilly war immer klar und deutlich; nein.
Dies ging so lange, bis sie in der Stadt das Gymnasium besuchte. Dort fühlte sie sich frei. Niemand kannte sie, niemand erwartete etwas von ihr, oder zumindest waren die Erwartungen anders als zu Hause, also konnte sie sich neu erfinden.
Lilly begann wieder zu singen und trat bald schon dem Schulchor bei. Noch immer sang sie eher leise, denn was sie auf keinen Fall wollte, war auffallen, ausgelacht oder ausgeschlossen zu werden. Als sie aber hörte, dass sich andere lauthals zu singen getrauten, ganz egal ob falsch oder nicht, entschied sie sich, ihrer Stimme auch wieder mehr Raum zu geben.
So sah, oder besser gesagt, hörte man Lilly immer öfter vor sich hinsingen. Wo immer sie ging, was immer sie tat, immer hatte sie ein Lied auf ihren Lippen.
Lilly hatte nicht nur eine schöne Stimme, sie war auch klug und liebte Bücher. Wenn sie nicht gerade sang, war sie ein richtiger Bücherwurm.
Am meisten interessierte sie sich für Okkultismus, Alchemie und Quantenphysik. Diese Fächer waren leider nicht auf dem Stundenplan. Doch in der grossen Bibliothek des Gymnasiums gab

es eine Abteilung mit entsprechenden Büchern. Lilly verbrachte ganze Nachmittage und Wochenenden in der Bibliothek. Bald hatte sie den Ruf, eine Langweilerin zu sein.

Dies störte Lilly nicht, denn sie genoss ihr Leben, so wie es war. Eines Tages traf sie in der Bibliothek auf Philippe. Auch er hatte den Ruf eines Langweilers. Die beiden liefen sich immer wieder über den Weg, kamen zusammen ins Gespräch und irgendwann waren die zwei ein Paar.

Wie es genau dazu kam, wussten sie beide nicht; es ist einfach passiert. Es fühlte sich wunderschön und richtig an.

Philippe entging natürlich nicht, dass Lilly eine bezaubernde Stimme hatte, daher meldete er sie heimlich zum Gesangswettbewerb der Schule an.

Als Lilly dies sah, war sie zuerst ziemlich sauer. Lilly liess sich von niemandem gerne etwas sagen oder vorschreiben. Doch für Philippe, ihre grosse Liebe, drückte sie ein Auge zu und nahm am Wettbewerb teil.

Da Lilly der Wettbewerb nicht wichtig war und sie sich eh keine Chance auf einen Gewinn ausrechnete, war sie während der Aufführung ziemlich locker, es machte ihr sogar Spass. Dies gefiel der Jury so gut, dass Lilly den Wettbewerb tatsächlich gewann.

Doch nun sollte sie am grossen Abschlussfest der Schule singen, das machte sie alles andere als fröhlich.

Jetzt waren die Voraussetzungen ganz anders. Sie war die Gewinnerin des Schulwettbewerbs, jetzt wurde etwas von ihr erwartet. Wie konnte sie da locker bleiben? Was sollte sie tun?

Sonnja hatte die ganze Zeit aufmerksam zugehört. Sie sah Lilly eine Weile in die Augen, dann sagte sie zu ihr: «Stell dir vor, neben dir steht ein grosser Engel, welcher deine Hand hält und mit dir singt.» Zuerst entwischte Lilly ein spöttisches Lächeln, aber da ihr selbst nichts Besseres einfiel, probierte sie es aus. Konnte es sein, dass sie sich dabei wirklich entspannte oder bildete sie sich dies nur ein? Sonnja fuhr fort: «Weisst du, dein Körper hat keine Augen, nur dein Kopf, und dort wohnt bekanntlich der Verstand. Das heisst, wenn dein Verstand Stress hat, gibt er diesen weiter an den Körper. Dieser glaubt dann, er sei in Gefahr. Wenn du jetzt jedes Mal, in Bezug auf das bevorstehende Konzert, in das Gefühl der Angst gehst, geht dein Körper mit.

Doch woher kannst du wissen, ob die Menschen deine Lieder mögen oder nicht?»

Lilly dachte einen Moment nach und antwortete dann: «Ich weiss es nicht, die Chancen stehen fünfzig zu fünfzig.»

«Genau» freute sich Sonnja, «Also konzentrier dich auf die fünfzig Prozent, welche dir Freude und Erfolg versprechen. Hol dir immer wieder dieses erhebende Gefühl zurück, als du den Schulwettbewerb gewonnen hast und gefeiert wurdest. Geh ganz in diese Freude und spüre mal nach, was dein Körper dann macht.»

Etwas widerwillig, aber weil sie selbst keine bessere Idee hatte, entschied sich Lilly, diesem Gefühl mal nachzuspüren.

Plötzlich erschien ein weiches Lächeln auf ihrem Gesicht. Nun wusste Sonnja, dass ihre Botschaft angekommen war.

Ob Lilly dieses Wissen für sich und ihr bevorstehendes Konzert nutze und umsetze, erfuhr Sonnja leider nicht. Was sie aber sah, war die Dankbarkeit in Lillys Augen.

Auch widerspenstige Menschen brauchen manchmal einfach etwas Raum und Zeit, damit sie sich öffnen und ihre Geschichte erzählen können.

Sonnja wurde an diesem Abend bewusst, dass sie schon jetzt, mit ihrer Lebenserfahrung und Zeit zum Zuhören, zur Leichtigkeit des Seins der Menschen beitragen konnte.

Sie freute sich über den gelungenen Abend mit Lilly. Gleichzeitig gab ihr dieser Abend den Ansporn, dabei zu bleiben und noch mehr Geschichten zu sammeln.

Voller Freude entschied Sonnja, zu diesem Zweck eine Weltreise zu machen.

Am nächsten Morgen ging sie als Erstes zur Bibliothek, um sich nach Reiseführern umzuschauen. Die Bibliothekarin hatte den Ruf, etwas wunderlich zu sein.

Sonnja fand Frau Wunderlich gleich auf Anhieb sympathisch. Spontan verabredeten sich die zwei für ein Mittagessen.

Nachdem sie sich eine Weile unterhalten hatten, nahm Sonnja all ihren Mut zusammen und fragte die Bibliothekarin, woher ihr Spitzname kam. Über das Gesicht der Bibliothekarin huschte ein Lächeln, dann begann sie zu erzählen.

Fräulein Wunderlich

Fräulein Wunderlichs Vorname war Yvonne. Ihr war schon als Mädchen klar, dass sie nie heiraten wollte. Als Yvonne im heirats-fähigen Alter, aber noch immer nicht verheiratet war, sprachen sie die Menschen mit Fräulein an, denn früher machte man das so.

Weil Yvonne sich immer wieder über das Verhalten der Menschen wunderte, nannte man sie bald überall nur noch Fräulein Wunderlich.

Yvonne war ganz zufrieden mit ihrer Arbeit und ihrem Leben, und auch sonst kam sie gut allein klar. Wieso sollte sie sich die Mühe machen, einen Mann zu finden und mit ihm ihre Wohnung und sogar ihr Bett zu teilen? Nein, das wollte sie auf keinen Fall. Doch manchmal, wenn sie andere Paare Arm in Arm durch den Park schlendern oder im Restaurant sitzen sah, nahm es sie schon wunder, wie es wohl wäre, verliebt oder sogar verheiratet zu sein.

So kam sie zu ihrem neuen Hobby; sie studierte Paare. Sie hörte ihnen im Lift, im Treppenhaus und beim Einkaufen zu, sie beob-achtete ihr Verhalten und wurde dabei immer unsicherer, denn sie verstand einfach nicht, worum es in Beziehungen eigentlich ging.

Warum waren die Paare in einem Moment so verliebt und dann wieder nicht? Warum stritten sie um Dinge, welche überhaupt nicht wichtig waren, doch kaum waren die Paare voneinander getrennt, plagte sie wieder die Sehnsucht?

Yvonne verstand das nicht. Je länger sie die Paare studierte, umso verworrener war das Resultat. Sie liebten sich, sie stritten sich, sie kehrten einander den Rücken zu, nur um sich fünf Minuten später wieder zu küssen. Nun hatte Yvonne genug vom Nicht-Verstehen, also begann sie nachzufragen.

Sie ging zu Verheirateten, zu Geschiedenen, zu Verliebten und Verlobten, zu Singles, ja sogar zu Kindern, und befragte alle zum Thema Liebe, denn auch die verstand sie nicht.

Wie konnten sich Menschen gleichzeitig lieben und im Wettstreit miteinander sein? Wie konnte es sein, dass man sich liebte und gleichzeitig Witze auf Kosten des anderen machte?

Sosehr sie sich auch bemühte, wen auch immer sie fragte, sie bekam immer dieselbe Antwort: «Die Menschen sind halt so.»

Ihre Fragen führten sie auch zu einem erwachten Meister. Alles was er ihr riet, war: «Versuche es nicht zu verstehen.» Das brachte sie fast auf die Palme.

Als der Meister ihre Verzweiflung sah, erklärte er ihr: «Weisst du, der Sinn des Lebens ist nicht, es zu verstehen. Es geht darum, es zu leben und auszuprobieren. Beobachte dein Denken. Mal sind deine Gedanken hell und fröhlich, und dann, von einer Minute auf die andere, bist du plötzlich unzufrieden, unkonzentriert oder müde.

Wann immer du mit deinem Gefühl deinen Gedanken folgst, geschieht genau dieses Auf und Ab.

Das ist bei allen Menschen so, versuche es nicht zu verstehen. Denn wenn du es zu verstehen versuchst, tust du dies mit deinem Verstand. Das heisst, du versuchst mit deinem Verstand ein Problem zu lösen, welches dein Verstand hat.»

Nun war Yvonne vollends verwirrt. Der Meister sah dies und lachte. Denn Meister haben das so an sich; sie müssen die ganz Zeit immer wieder lachen. Über sich selbst und über das Denken der Menschen. Es ist aber ein fröhliches, ansteckendes Lachen, eines das dem Ernst etwas die Härte nimmt und wieder Fröhlichkeit ins Herz bringt. Und genau dies geschah bei Yvonne.

Als sie das Lachen des Meisters sah, musste sie auch lachen und es wurde ihr sogleich leicht ums Herz. In diesem Moment verstand sie, was der Meister ihr sagen wollte.

Zuerst war sie ernst und in Sorge, weil sie dachte, dass sie die

Menschen und das Leben nicht verstand. Dann musste der Meister lachen, es berührte ihr Herz, sie wurde froh. Dies meinte er also mit den Worten; das Gefühl folgt dem Verstand.

Doch noch immer versuchte sie, es zu verstehen.

Liebevoll schüttelte der Meister den Kopf und sagte: «Liebe Yvonne, versuche es nicht zu verstehen, versuche es zu spüren. Schaue den Menschen in die Augen. Mache dich weder klein noch gross. Sei einfach in jedem Moment da wo du bist, und bringe auch deine Gedanken genau dorthin.»

«Wozu soll das gut sein?», fragte Yvonne den Meister. Der Meister antwortete: «Probiere es aus.»

Enttäuscht verliess sie den Raum, betrat den Garten und stolperte fast über eine Katze. Verwundert sah sie die Katze an, welche inmitten einer Gruppe von Menschen schlief.

Die Katze machte sich wohl keine Gedanken, was die anderen Menschen dachten oder bewegte. Sie war einfach da und schlief. Wenn sie Hunger hatte, streifte sie umher, suchte sich Futter und wenn ihr danach war, jagte sie wie irre ihrem eigenen Schwanz hinterher.

Während Yvonne über das Leben der Katze nachsann, trat der Meister zu ihr und sprach: «Siehst du, so wie es die Katze macht, ist es leicht. Sie ist mit ihren Gedanken da, wo sie gerade ist und tut in jedem Augenblick das, was es zu tun gibt und wenn sie keinen Impuls hat, tut sie nichts. Entspann dich. Sei da und geniesse die Schönheit des gegenwärtigen Augenblicks.»

Während der Meister sprach, erschienen ihr die Blumen plötzlich bunter, das Blau des Himmels leuchtender, die Gesichter der Menschen schöner. Doch wie konnte das sein?

Der Meister sah sie an, lächelte und sprach: «Versuche es nicht zu verstehen. Lebe, lache, weine, singe, schreie, umarme Menschen, umarme das Leben, sei in jedem Augenblick ganz da, mit einem vollen Ja, und beobachte.»

«Aber Meister, wie kann ich gleichzeitig ganz bei mir sein und die Menschen beobachten?», fragt Yvonne. Wieder lächelte er und sprach: «Beobachte in erster Linie dich, deine Gedanken und die dazugehörenden Gefühle, dann wirst du eines Tages verstehen, dass es nichts zu verstehen gibt.

Lass deine Gedanken immer wieder los, lass sie ziehen, lehn dich zurück, geniesse die Natur und die Sterne und überlasse die Organisation des Lebens dem Universum.»

Kaum sprach der Meister das letzte Wort, erwiderte Yvonnes Verstand; so einfach kann es wohl nicht sein. In diesem Moment entschied sich Yvonne, nicht mehr immer auf ihren Verstand zu hören. Sie wollte jetzt, ganz bewusst, den schönen Garten und die wunderschöne Atmosphäre geniessen.

Diese Begegnung mit dem Meister und seine Worte hatten Yvonne tief geprägt.

Inzwischen waren viele Jahre vergangen, doch sie dachte noch immer gerne an dieses Treffen zurück. Ihr Forschergeist war deswegen aber nicht ruhiger geworden.

So war Bibliothekarin ein optimaler Beruf für Yvonne. Tagtäglich begegnete sie vielen verschiedenen Menschen und Büchern, es wurde ihr nie langweilig.

Ihren Urlaub verbrachte sie gerne in fernen Ländern, so konnte sie Sonnja nicht nur gute Reisebücher empfehlen, sondern auch noch interessante Tipps für unterwegs weitergeben.

In der darauffolgenden Woche, nach gründlichen Recherchen und einem Besuch im Reisebüro, stand die Reiseroute fest. Als erstes wollte Sonnja mit dem Zug nach England und Schottland reisen. Gelegenheiten zum Fliegen gab es danach noch genug.

Sonnja interessierte sich seit ihrer Kindheit für das Leben der Königsfamilien. Wer weiss, vielleicht bekam sie in England ein paar Geschichten aus erster Hand.

Endlich war der Tag der Abreise gekommen, die Taschen gepackt, das Zugticket gekauft.

Voller Vorfreude bestieg Sonnja den Zug nach London. Wärend dieser langen Reise stiegen regelmässig Menschen ein, andere aus. Es wurden viele Gespräche geführt, die einen eher langweilig, andere interessant.

Eigentlich war Sonnja viel zu aufgeregt, um während der Fahrt zu schreiben. Doch die Geschichte des fröhlichen Zugbegleiters musste sie einfach aufschreiben. Viele Passagiere schienen ihn schon getroffen zu haben, denn immer wieder hörte Sonnja von ihm.

Der fröhliche Zugbegleiter Herr Jost

Herr Jost ging täglich durch die Gänge, kontrollierte die Tickets der Fahrgäste und war ihnen mit ihrem Gepäck behilflich. Kam was wollte; stets war er zur richtigen Zeit am richtigen Ort und schenkte jedem ein Lächeln.

Doch das war nicht immer so. Zu Beginn seiner Zugbegleiter Laufbahn schon, aber irgendwann wurde es schwierig, immer perfekt zu sein. Er war immer zur Stelle, wenn etwas gebraucht wurde, schaute stehts auf die Uhr, um alles pünktlich und fristgerecht zu erledigen. Er vergass nie, ein Ticket zu kontrollieren oder zu schauen, dass es im Zug sauber und ruhig blieb. Doch genau das machte ihm sehr zu schaffen.

Es war ja noch eher einfach, sich selbst zu disziplinieren, gut darauf zu achten, stets pünktlich, sauber und freundlich zu sein, aber diese Menschen im Zug, vor allem die Mütter mit ihren Kindern…

Ständig wurde gegessen, getrunken, gespielt und gelacht und nicht selten blieben zumindest Brotkrumen liegen. Dann gab es Menschen, welche ihr Füsse auf die Bank gegenüber legten, Schulklassen, welche einfach nur laut und übermütig waren und genau die waren am wenigsten zu kontrollieren.

Immer wieder kamen Wellen von Freude und Übermut über diese Menschen, sie lachten und schrien einander Witze zu. Manchmal hatte Herr Jost Angst, das Ganze laufe aus dem Ruder. Doch dann kam die Endstation, alle waren ausgestiegen, es war wieder Ruhe.

Am Abend ging er erschöpft nachhause und zerbrach sich den Kopf, wie er dem Ganzen eine Ordnung geben könnte.

Klar, am Morgen, wenn er wieder zur Arbeit erschien, war der Zug sauber geputzt und alles ok, doch dann begann es wieder von vorn. Irgendwann wurde er schon beim Gedanken, zur Arbeit gehen zu müssen und wieder nicht alles kontrollieren zu können, so müde, dass er einfach wieder einschlief und viele Tage nicht zur Arbeit ging.

Eines Morgens, als er sich gerade wieder überlegte, ob er heute doch wieder einmal aufstehen sollte, erschien das Nachbarskind Laura an seinem Bett und schenkte ihm ein strahlendes Lächeln. Herr Jost wurde es ganz warm ums Herz.

Doch kaum konnte er wieder richtig denken, fragte er Laura: «Wie bist du hier hereingekommen?». Noch immer strahlend, antwortete sie: «Die Wohnungstüre war nicht abgeschlossen.»

Herr Jost staunte nicht schlecht. Konnte es sein, dass er, der alles sieben Mal kontrollierte, wirklich vergessen hatte, die Wohnungstüre abzuschliessen?

Schon wollte er sich wieder aufregen, doch dann sah er in Lauras Gesicht und wusste, wäre ihm dieser Fehler nicht unterlaufen, stände Laura jetzt nicht hier.

Sie erzählte ihm, dass sie ihn schon lange nicht mehr in seiner schönen Uniform gesehen habe und fragte ihn, ob er denn nicht mehr zur Arbeit gehe.

Resigniert erwiderte Herr Jost: «Weisst du, ich habe gemerkt, dass alles überhaupt keinen Sinn macht. Ich kann die kleckernden Kinder nicht kontrollieren, immer wieder legen die Menschen ihre Füsse auf die Sitze, die Jugendlichen sind laut und über-schäumend fröhlich; wo man hinschaut, einfach nur Chaos.»

Laura schaute Herrn Jost verständnislos an. Was machte es denn, wenn Kinder im Zug assen und dafür zufrieden und glück-lich waren? Wo lag das Problem, wenn die Menschen es sich im Zug gemütlich machten und Spass hatten?

Laura war nicht nur ein kluges Mädchen, sie hatte auch eine spezielle Gabe. Sie konnte die Energiefelder der Menschen sehen. Sie konnte sehen, dass das Energiefeld von Herrn Jost gerade ziemlich grau und leer war. Sie konnte aber auch sehen, wie sich das Energiefeld der Menschen, je nach Befindlichkeit, veränderte. So war das Energiefeld von wütenden Menschen stechend oder schmutzig rot, das von traurigen Menschen eher grau. Das Feld von Menschen, welche alles kontrollieren wollten, war eng, sodass gar keine Freude mehr darin Platz hatte.

Das Feld von zufriedenen Menschen war einfach nur schön und weit. Wenn die Jugendlichen laut und fröhlich waren, gab es ein grosses, starkes, buntes Feld von Freude. Die ängstlichen, müden und nervösen Menschen fühlten sich von diesem Feld bedroht. Egal ob die Menschen es wahrnahmen oder nicht, alle Energiefelder reagieren aufeinander.

Als Laura dies Herrn Jost erklärte, begann er etwas zu verstehen. Am Anfang hatte er seinen Job mit Freude gemacht. Diese Freude war in seinem Energiefeld und übertrug sich auf das Energiefeld der Zugpassagiere. Je mehr sich Herr Jost aber anstrengte, alles richtig und gut zu machen, desto mehr verlor er die Freude. Dadurch wurde sein Energiefeld eng und grau, plötzlich fühlte er sich von allem und jedem bedroht. Doch was sollte er nun tun?

«Ganz einfach», antwortete Laura. «Speichere in deinem Kopf möglichst viele Bilder mit schönen Farben und schönen Erinnerungen. Kreiere dir einen Kraftplatz, das heisst, ein Bild von einem Ort wo es dir besonders gut gefällt.»

Dies war für Herrn Jost nicht schwer. Er erinnerte sich an einen perfekten Tag im Wald. Er sass in einem bequemen roten Liegestuhl, in der Hand hielt er sein Lieblingsgetränk, ein Glas frisch gepressten Orangensaft. Das üppige Grün der Bäume öffnete ihm sein Herz und er genoss den stahlblauen Himmel. Die Sonne, welche gelb durch die Baumkronen schien, wärmte seinen ganzen Körper.

Als Herr Jost Laura dieses Bild beschrieb, jubelte diese vor Freude, denn genau all diese und noch mehr Farben gibt es in einem schönen, gesunden Energiefeld.

Während sich Herr Jost dieses Bild in allen Farben vorstellte, wurde sein Energiefeld wieder farbig und weit. Das fühlte sich so gut an, dass er sich vornahm, dies täglich zu üben.

Am Anfang brauchte es etwas Zeit und Geduld, doch bald ging es ihm so gut, dass er wieder zufrieden zur Arbeit gehen konnte. Er war gespannt darauf, was sich in der Zwischenzeit verändert hatte; doch es war, als wäre er nie weg gewesen.

Nur Herr Jost hatte sich verändert. Er schaute nicht mehr so sehr darauf, was die Menschen taten, sondern er konzentrierte sich mehr auf ihr Energiefeld und darauf, wie es den Menschen ging. Er sah, dass es den meisten Menschen so ging, wie es ihm noch vor kurzem selbst gegangen war. Alles was sie brauchten, war ein offenes Herz und etwas Farbe.

Er realisierte, dass seine innere Ruhe und ein paar nette Worte den Menschen helfen konnten, ihr Herz wieder zu öffnen.

Dies wiederum bewirkte, dass sich die Menschen entspannten und ihr Energiefeld wie durch Zauberhand wieder zu leuchten begann.

So hat sich Herr Jost einen neuen Vorsatz gefasst. Er wollte jetzt viel weniger streng kontrollieren und dafür ein offenes Herz und Freude in den Zug bringen. Vielleicht fragt ihr euch, wieso er das plötzlich konnte?

Ihr wisst ja, Herr Jost war schon immer diszipliniert. Er öffnete ganz bewusst immer wieder sein Herz, atmete diszipliniert die Farben in sein Energiefeld, und nahm sich in seiner Freizeit viel Zeit, um in allen Farben zu träumen.

Hiess das jetzt, dass sich im Zug von Herrn Jost jeder benehmen durfte, wie er wollte? Nein, natürlich nicht. Aber wenn Herr Jost den Menschen mit einem offenen Herz begegnete, ihnen erklärte, warum etwas so nicht ging, sahen sie in seinen Augen nicht Kritik, sondern Klarheit und bedingungslose Liebe.

So fiel es allen leichter, eine gemeinsame, gute Lösung zu finden.

Solltest du Herrn Jost einmal treffen und merken, dass es ihm ausnahmsweise nicht so gut geht, dann öffne ihm einfach dein Herz und schenke ihm dein Strahlen.

Leider begegnete Sonnja Herrn Jost nicht persönlich. Nachdem sie die Geschichte aufgeschrieben hatte, schlief sie ein. Sie erwachte erst wieder, als sie die Stimme aus dem Lautsprecher hörte: «Nächster Halt, London Victoria». Endlich war Sonnja im Land der Könige.

Der Bahnhof London Victoria liegt in der City of Westminster, das heisst, nahe dem Buckingham Palast. Gespannt stieg Sonnja aus dem Zug. Als erstes ging sie zu ihrem Hotel, welches nur fünf Minuten vom Bahnhof entfernt war.
Kaum hatte sie ihre Tasche ausgepackt, machte sie sich auf ihre erste Erkundungstour. Sie konnte es kaum erwarten, endlich den Palast und die berühmte Wachablösung zu sehen.
Am Abend sammelte sie in der Hotellobby Prospekte zu den Themen Schlösser und Museen.

Ihr erstes Ziel am nächsten Morgen war das Museum of London. Dort konnte sie sich mit der Stadtgeschichte vertraut machen. Zum ersten Mal in ihrem Leben bestieg sie die London U-Bahn, mit dem Ziel; St. Pauls Station.

Mit Begeisterung studierte sie all die Galerien mit den verschiedenen, chronologisch aufgebauten Stadtgeschichten. Dazwischen gab es interessante Filmvorführungen.
Das Schlendern durch das Museum und die vielen Eindrücke ermüdeten Sonnja und Hunger hatte sie inzwischen auch. Sie setzte sich in ein nahegelegenes Café und gönnte sich einen feinen Tee mit Scones.
Da das Café ziemlich voll war, lud Sonnja zwei Herren ein, an ihrem Tisch Platz zu nehmen. Allerdings brauchte nur einer einen Stuhl, der andere sass im Rollstuhl.
Es erstaunte Sonnja, dass der Begleiter des Rollstuhlfahrers blind war. Die zwei bildeten ein recht ungewöhnliches Paar.
Sonnja erzählte den beiden von ihrem Projekt und bat die Herren, ihr ihre Geschichte zu erzählen. So erfuhr sie folgendes:

Peter und Paul

In jungen Jahren war Peter ein kleiner Sportler; das heisst, er hüpfte und rannte gerne, spielte gerne Fussball und Fangen, er machte einfach alles gerne, was ihm Spass machte.

Paul hingegen wollte hinter allem einen Nutzen sehen. Er spielte auch Fussball, doch er wollte Tore schiessen und gewinnen. Er lief an verschiedenen Wettläufen mit und als er älter wurde, ging er gerne ins Krafttrainig.

Dazu stellte er seine Nahrung um, denn es war ihm wichtig, immer alles zu geben und zu optimieren, wo es etwas zu optimieren gab.

Obwohl Peter ein Junge war, blieb er immer etwas verträumt. Menschen, welche bestimmt auftraten und ihm sagten, was er zu tun und zu lassen hatte, machten ihm stets etwas Angst. Wenn möglich tat er dann das, was er am besten konnte, nämlich weglaufen.

Doch eines Tages, als er wieder einmal auf der Flucht vor dem Leben war, lief er geradewegs in ein fahrendes Auto. Dabei wurde er so schwer verletzt, dass er von da an nicht mehr laufen konnte.

Peter war völlig verzweifelt. Wie konnte er weiterleben ohne Hüpfen und Tanzen? Wie sollte er überleben, wenn er nicht mehr weglaufen konnte?

Bevor er nach dem Krankenhausaufenthalt nachhause konnte, musste er in ein Rehazentrum, dort lernte er Paul kennen.

Auch Paul hatte inzwischen ein schweres Schicksal zu tragen. Er hatte bei einem Unfall sein Augenlicht verloren; das heisst, er war ab sofort blind. Er musste lernen, sich auf seine Sinne zu verlassen. Doch dies hatte er noch nie gerne gemacht, es viel im sehr schwer.

Auch Peter hatte ein Problem. Da er noch nie gerne Krafttrainig gemacht hatte, waren seine Armmuskeln schwach. Daher bekam er sehr schnell Muskelkater, wenn er den Rollstuhl selbst bewegen musste.

Obwohl Peter und Paul eigentlich sehr verschieden waren, kamen sie, durch diese besonderen Umstände, regelmässig ins Gespräch.

Beide wohnten allein und wussten nicht, wie sie ihr Leben, mit ihrer Beeinträchtigung, selbstständig meistern sollten. So kam es, wie es kommen musste; sie entschieden sich, gemeinsam eine Wohnung zu nehmen.

Von nun an waren die beiden unzertrennlich. Peter ersetzte Paul das Augenlicht, indem er ihm erzählte, was er sah und wie er es sah. Er erklärte Paul ständig und überall, wie und wo er gehen musste, um nicht irgendwo anzustossen oder zu stolpern.

Paul trug Peter die Treppen hoch, durch schmale Gänge und überall dorthin, wo es zu schmal oder zu kompliziert für den Rollstuhl war.

Auch wenn die neue Situation schwierig war, hatten die zwei viel Spass miteinander. Sie bekamen viel Zuspruch von ihren Mitmenschen, welche die beiden für ihren Mut und ihre Kreativität bewunderten.

Doch manchmal sehnten sie sich nach ihrem alten Leben zurück. Peter sehnte sich nach der Leichtigkeit von Hüpfen, Tanzen und Davonlaufen, wenn es schwierig wurde. Paul sehnte sich danach, wieder mit eigenen Augen sehen zu dürfen und sich von seinem eigenen Verstand leiten zu lassen.

Das ewige Fühlen, das Nutzen all seiner Sinne, fand er anstrengend und doof. Wozu hatte man denn Augen, wenn man sie nicht gebrauchen konnte?

Mit den Jahren bekam Paul immer heftigere Rückenschmerzen. Das Herumtragen von Peter forderte seinen Tribut. Dazu kam, dass er keine Lust mehr hatte, sich ewig nach den Wahrnehmungen von Peter zu richten. Dies ging ihm so auf die Nerven, dass er immer öfter heftiges Ohrensausen hatte. Der sensible Peter bekam dies natürlich mit. Einerseits musste er immer lauter sprechen, weil Paul sonst seine Anweisungen nicht hörte und Gefahr lief, gegen eine Wand zu laufen. Das laute Sprechen verursachte bei Peter Halsschmerzen.

Andererseits spürte er, wie die Rückenschmerzen und das Ohrensausen Paul das Leben zusätzlich schwer machten. Dies wiederum machte auch das Herz von Peter schwer.

Immer öfter gerieten die beiden wegen Banalitäten in Streit. Nur noch selten hatten sie richtig Spass; das Ganze machte beide müde.

Schon öfter hörten sie von einer Seelenflüsterin, welche in London lebte.

Obwohl Paul eigentlich nicht an solche Dinge glaubte, war sein Schmerz und seine Verzweiflung gross genug, dass er bereit war, sich auf ein Abenteuer einzulassen. So schmiedeten sie einen etwas verrückten Plan. Die zwei buchten eine Reise nach London und einen Termin bei der Seelenflüsterin.

Peter freute sich riesig darauf, denn für ihn war klar; jetzt wird alles wieder gut.

Die Seelenflüsterin schaute die beiden lange an. Für den Verstand sah es so aus, als ob sie gar nichts tat, nur dasass. Trotzdem wurde es beiden mulmig zumute.

Als die Seelenflüsterin dann endlich sprach, wandte sie sich zuerst an Paul.

Sie sprach: «Lieber Paul, deine Seele hat sich die Blindheit in dein Leben geholt, damit du lernst, deine anderen Sinne zu trainieren. Damit du lernst, dich nicht mehr nur nach dem zu richten, was du mit den Augen des Verstandes sehen konntest, sondern auch mit deinem Herzen zu sehen lernst. Es ist nicht die Aufgabe von Peter, dies für dich zu übernehmen. Geh und lerne, was deines ist».

Zu Peter sprach sie: «Du kannst gut mit dem Herzen sehen,

darum hast du dein Augenlicht noch, aber du kannst auch gut weglaufen. Deine Seele will, dass du lernst, ganz da zu bleiben, auch wenn es schwierig wird. Sie will, dass du lernst, für dich, für deine Wahrnehmung und deine Bedürfnisse einzustehen, auch wenn ein Verstandesmensch deswegen wütend wird.

Lerne, dich mit eigener Kraft durchs Leben zu bewegen, nutze dazu deine dir angeborene Kreativität und Leichtigkeit und trainier deine Muskeln.»

Zu beiden sprach sie: «Wenn du, Paul, Peter nicht mehr durchs Leben trägst, lassen deine Rückenschmerzen nach. Wenn du deine eigene Wahrnehmung nutzt, musst du nicht mehr auf Peter hören und dein Ohrensausen wird ruhig.

Wenn du, Peter, Paul keine Anweisungen mehr geben musst, kannst du deinen ganzen Fokus auf dein Vorwärtskommen richten, musst nicht mehr so viel sprechen und deine Halsschmerzen verschwinden.

Du hast dann genügend Zeit und Energie, um deine Geschicklichkeit mit dem Rollstuhl zu trainieren; so kommst du mit Leichtigkeit wieder spielerisch zu Sport.»

Dann stand die Seelenflüsterin, Rose, wortlos auf und verliess den Raum. Somit war die Sitzung zu Ende.

Doch, war somit auch alles gut? Nein, natürlich nicht. Jetzt hatten die beiden zwar eine Art Lebensfahrplan, einen Hinweis von ihrer Seele, doch was sie damit anfingen war jedem selbst überlassen.

Was ihnen aber klar wurde, war, dass es Zeit war, sich wieder mehr der Freude und den Möglichkeiten des eigenen Lebens zuzuwenden.

Nachdem die zwei ihre Geschichte zu Ende erzählt hatten, blieb es eine Weile still. Sonnja überlegte sich, ob Rose wohl auch einen guten Rat oder eine Geschichte für sie hatte. Da Sonnja von Natur aus spontan war, bat sie um die Adresse von Rose.

Gleich am nächsten Tag vereinbarte sie mit Rose einen Termin. Sonnja wollte unbedingt wissen, wie Rose zu einem so ungewöhnlichen Beruf gekommen ist.
Rose sprach nicht oft über ihre Geschichte, doch als sie Sonnja die Tür öffnete, erkannte sie gleich, dass da ein Sonnenmädchen vor ihr stand. Dies freute Rose sehr. Nachdem sie Tee gekocht hatte, erzählte sie Sonnja folgendes:

Die Prinzessin, die zu nichts zu gebrauchen war

Rose war eine gebürtige Prinzessin, welche in einem wunderschönen Schloss, in Schottland, aufwuchs. Wenn sie auf ihre Kindheit zurückblickte, sah sie ein munteres, kleines Mädchen, welches viel lachte, hüpfte und natürlich, wie alle anderen Kinder auch, gerne spielte.

Rose war aber auch oft still und zurückgezogen, denn sie hatte eine besondere Gabe; sie konnte in die Herzen der Menschen sehen. Für Rose war dies normal. Für die Menschen in ihrer Familie war es kein Thema, denn sie bemerkten es nicht.

Dies wiederum war für Rose nicht einfach, denn immer wieder war sie überrascht, dass das, was sie in den Herzen der Menschen sah, nicht das war, was diese offensichtlich fühlten, sagten oder taten.

Oft sah Rose, dass ihre Eltern traurig waren, doch wenn sie sie darauf ansprach, bekam sie immer dieselbe Antwort: «Nein wir sind nicht traurig, uns geht es gut.» Dasselbe passierte ihr in der Schule. Sie sah, dass Urs unglücklich und unsicher war, doch in der Schule galt er als Held, weil er alle in die Schranken wies oder sogar schlug, wenn sie nicht nach seiner Pfeife tanzten.

So war es für Rose sehr schwierig, sich im Leben zurecht zu finden. Wie konnte sie wissen, was die anderen Menschen von ihr erwarteten, wenn das, was sie sah, nicht dem entsprach, was sie wahrnahm?

Auch konnte sie nicht verstehen, wie sich Menschen mit Worten und Taten verletzen konnten, und dann immer wieder so taten, als ob nichts gewesen wäre. Oft litt Rose tagelang, wenn sich ihre Eltern stritten. Noch schlimmer war es, wenn sich ihre Mutter und ihre kleine Schwester heftig stritten, denn sie wollte die Kleine beschützten. Dies gelang Rose aber nicht, denn die Kleine war mutwillig frech und zog den Zorn der Mutter immer wieder ganz bewusst auf sich. Was Rose am wenigsten verstand, war, wie es sein konnte, dass die Kleine und ihre Mutter kurz nach dem heftigsten Streit wieder zusammen lachten, während sie noch tagelang Rücken- oder Bauchschmerzen hatte.

Dann kam die Zeit, wo Rose eine Prinzessinnenlehre machen musste. Eine Prinzessin muss wissen, wie man sich als solche benimmt, wie man spricht und welche Frisur und welches Kleid zu welchem Anlass getragen wird. Natürlich gab es dazu Personal, doch es war der Königin wichtig, dass ihre Töchter diese Grundregeln kannten.

So ging Rose also in die Prinzessinnenlehre und gab sich alle Mühe, alles gut zu lernen. Da ihr das Lernen leichtfiel, hatte sie damit keine Probleme. Allerdings liess sie den Kopf stets etwas hängen, dadurch rutschte ihr die Krone immer wieder ins Gesicht. Natürlich wurde sie so, schnell zum Gespött der anderen Prinzessinnen, was ihr auch nicht gerade half, den Kopf aufrecht zu halten.

Zuhause setzte sie sich gerne zu ihrem Vater, dem König. Dieser konnte wunderschön malen, pfeifen, Flöte spielen und manchmal, wenn der König Ferien hatte, spielte er auf seiner Mundharmonika. Dies liebte Rose am meisten. Diese Stunden liessen ihr Herz erblühen und das des Königs auch. In diesen Stunden war die Welt von Rose in Ordnung.

Doch die Königin liess es nur selten zu, dass die Zeit für unnütze Dinge, wie Kunst und Kreativität, verplempert wurde. Denn Kunst, so sagte die Königin, ist etwas für Träumer. Man sah ja, dass die meisten Künstler am Hungertuch nagten. Was die Königin nicht sehen konnte, war, dass Künstler bei der Arbeit ein weit offenes Herz hatten und so ganz in der Verbindung mit ihrer Seele waren.

Rose erstaunte es, dass dies bei der Königin geschah, wenn ihre Frisur perfekt sass, ihre Fingernägel wunderschön rot leuchteten und alles, von den Haaren bis zu den Schuhen, zusammenpasste.

Natürlich fand Rose dies auch schön, aber dies allein führte bei ihr nicht dazu, dass sich ihr Herz öffnete. So kam sie, langsam, aber sicher, zum Schluss, dass mit ihr etwas nicht stimmte.

Ihre kleine Schwester liebte schöne Fingernägel, schöne Kronen und schöne Schuhe, ihr Bruder liebte schöne Kutschen, nur Rose konnte mit diesen Dingen nicht viel anfangen.

Im Geheimen verriet ihr der König, dass es ihm auch so erging. Rose sah, dass ihr Vater allen stets mit Rat und Tat zur Seite stand. Sie sah, dass viele Menschen ihn und seine vielseitige Arbeit sehr schätzten. Dies wiederum verstand die Königin nicht. Es schien Rose, als ob das, was der König tat, selten das war, was sich die Königin von ihm wünschte.

So glaubte Rose mit der Zeit, dass auch das, was sie tat, nur selten das Richtige war. Immer und immer wieder stellte sie sich dieselbe Frage; wie konnte sie herausfinden, was die Menschen von ihr erwarteten?

So begann Rose, immerzu zu fragen, damit sie ja nichts falsch machte. Doch dies ärgerte die Königin und die Lehrmeister der Prinzessinnenschule noch mehr. Jetzt war es bewiesen, Rose konnte nicht selbstständig denken, sie war als Prinzessin einfach nicht zu gebrauchen.

Es dauerte noch viele Jahre, bis Rose herausfand, dass die meisten Menschen lieber ihrem angelernten Verstandeswissen als ihrem Herz vertrauen. Sie wurden nie dazu ermuntert, ihr Herz ihrer eigenen Wahrheit und ihren eigenen Bedürfnissen zu öffnen.

Dadurch konnten und können sie ihre eigenen Bedürfnisse kaum noch fühlen und somit die ihrer Mitmenschen auch nicht. Sie verfolgen Konzepte, welche zu funktionieren scheinen oder bisher immer funktioniert hatten. Sie meinten es gut und waren enttäuscht, wenn ihre Erwartungen nicht erfüllt wurden.

Je älter die Menschen werden, desto mehr merken sie, dass sie zwar all ihre Konzepte erfolgreich verfolgt haben, inzwischen aber lustlos und müde oder sogar krank geworden sind.

Wärend Rose über all dies nachdachte, wurde ihr bewusst, wofür sie und ihre Gabe, in die Herzen der Menschen sehen zu können, zu gebrauchen waren. Sie eröffnete eine Beratungsstelle für Menschen, welche bereit waren, in ihr eigenes Herz zu schauen.

Zusammen mit dem offenen Herzen von Rose, und dem eigenen Mut, wirklich hinzuschauen, lernten sie zu erkennen, was ihnen wirklich fehlte und was sie sich aus tiefster Seele wünschten. Dies war selten das, was mit ihren alten Konzepten übereinstimmte.

So fanden immer mehr Menschen zurück zu ihrem Lachen, ihrem Strahlen und ihrer Gesundheit.

Wenn auch die Königin nicht verstand, was genau Rose tat, konnte sie doch sehen, dass ihre Prinzessin ihr Lachen und ihr inneres Leuchten wiedergefunden hatte. Dies wiederum machte die Königin glücklich.

Auch Sonnja begann bei dieser Geschichte zu strahlen. Nun wollte sie wissen, ob Rose noch Kontakt zu anderen Menschen aus Königsfamilien hatte. Über das Gesicht von Rose huschte ein Lächeln, denn sie erinnerte sich immer gerne an ihre Freundin Mary. Zum Abschied gab Rose Sonnja ein Kärtchen mit Marys Adresse in Schottland.

Als Sonnja die Wohnung von Rose verliess, kam es ihr vor, als ob sie ein paar Zentimeter gewachsen sei. Wie war das möglich?

Zurück in ihrem Hotelzimmer zeigte ihr ein Blick in den Spiegel, dass ihre Augen strahlten, wie schon lange nicht mehr. Ob das die Wirkung von Roses offenem Herzen war?

Müde von den Ereignissen des Tages fiel Sonnja ins Bett und träumte von einem ungewöhnlichen Dorf und ihren Bewohnern.

Am nächsten Morgen schrieb sie folgende Geschichte auf:

Der Widerstand und die Liebe

In einem fernen Land, in einem kleinen Dorf, lebten Menschen mit den unglaublichsten Namen. Sie hiessen Schock, Trauma, Angst, Überschuss, Verlust und nochmal Angst, denn die zwei waren Zwillinge.

Etwas oberhalb, in einem schönen, kleinen Haus, wohnte die Familie Bedingungslose Liebe mit Herrn Freude, Frau Mut und Kind Fröhlich.

Da diese Menschen alle im selben Dorf wohnten, liess es sich nicht vermeiden, dass sie sich regelmässig begegneten. So gab es immer wieder Situationen, in denen sie sich stritten. Üblicherweise kamen dann Frau Kontrolle oder ihr Mann, der Bürgermeister Widerstand, um dem Ganzen ein Ende zu setzten.

Je nachdem welcher der beiden Ordnungshüter gerade unterwegs war, wurde es schnell ruhig oder es gab einen riesigen Tumult.

Frau Kontrolle sorgte dafür, dass jeder in sein Haus ging, so tat, als ob nichts gewesen wäre, und schon war es ruhig.

Herr Widerstand sorgte mit seiner Art immer wieder dafür, dass jeder Einzelne fand, so ginge es gar nicht. Alle stritten sich, waren beleidigt, wurden müde und fühlten sich nicht verstanden. Dies dauerte manchmal so lange, bis sich der Nebel, Namens Trauer, über das ganze Dorf legte. Dann wurde es drückend still.

Immer wenn Familie Bedingungslose Liebe aus dem Fenster schaute und unten im Dorf den Nebel sah, wusste sie gleich, was Sache war.

Manchmal gingen sie dann hinunter ins Dorf und schauten, was sie tun konnten, um den Nebel der Trauer wieder zu lichten. Doch denkt ja nicht, dass Herr Widerstand dies einfach so zuliess.

Schliesslich war er der Widerstand. Lieber baute er eine Mauer, als dass er die bedingungslose Liebe einfach so in sein Dorf lassen würde.

Wenn das nicht funktionierte, veranstaltete er alle Arten von Ablenkung, denn auch das half, die Liebe fernzuhalten.

Aber vergesst nicht, die Familie bedingungslose Liebe bestand aus Herrn Freude, Frau Mut und Kind Fröhlich. Dazu kamen noch Cousin Fantasie und Cousine Ideenreichtum.

So spazierten Frau Mut, Kind Fröhlich, Fantasie und Ideen-reichtum immer wieder ums Dorf, einfach nur um zu schauen, ob es da nicht doch ein Schlupfloch gab.

Herr Freude ging tagsüber arbeiten.

Wie sein Name schon sagte, arbeitete er tagtäglich mit der Freude. Er schaute überall im ganzen Land, wo es gut lief, wo jemandem geholfen wurde, wo jemandem eine Freude gemacht wurde, wo ein Baby zur Welt kam oder wo jemand im Lotto gewonnen hatte. Letztendlich fand er in jeder Stadt, in jedem Dorf, ja sogar in jedem Haus und in jeder Wohnung, immer einen Grund zur Freude.

Dies listete er alles auf, denn auch das war ein Bestandteil seines Jobs. Denkt nicht, dass dies ein einfacher Job war.

Die Arbeitstage waren oft sehr lang. Nicht immer liess sich das Gute mühelos finden, denn immer und überall begegnete er dem hartnäckigen Zeitgenossen Widerstand.

Oft konnte Herr Freude aber sehen, dass der Widerstand gegen die Liebe und die Freude nichts auszurichten hatte. Dies bestä-tigte ihm, dass er mit Frau Mut genau die richtige Frau gehei-ratet hatte.

Bei diesem Gedanken erschien ein Strahlen in seinem Gesicht.

So wunderte es niemand, dass sein Kind Fröhlich hiess und es auch war.

Am Abend, wenn Herr Freude nachhause kam, berichteten sie einander von ihrem Tag. Während die Familie miteinander sprach, verbanden sich die Energien von Freude, Mut und

Fröhlich so sehr, dass das ganze Haus, der Garten, und schluss-endlich die ganze Umgebung, zu leuchten begann.

Ihr könnt euch gar nicht vorstellen, was dann passierte. Im ganzen Dorf lichtete sich der Nebel der Trauer und allen wurde es warm ums Herz. Plötzlich war niemand mehr niedergeschlagen. Alle freuten sich und wussten nicht warum.

Nur Herr Widerstand und die Zwillinge Angst, die trauten dieser Sache nicht, denn sie wussten, es konnte in jedem Moment wieder etwas passieren.

Darum versuchten sie, Cousin Fantasie und Cousine Ideen-reichtum immer wieder auf ihre Seite zu ziehen, um gemeinsam herauszufinden, was alles Schlimmes und Böses passieren könnte. Schliesslich wollte der Bürgermeister auf alles vorbe-reitet sein. Er sah es als seine Pflicht, das Dorf zu schützen.

Die zwei liessen sich zum Glück nur selten auf die Genossen Angst und Widerstand ein. Nur manchmal, wenn ihnen allerlei Geschenke und Wohlstand angeboten wurden, blieben sie für eine Weile im Dorf und liessen sich hinreissen, eine Weile für den Widerstand und die Angst zu arbeiten.

Doch spätestens, wenn sich der Nebel der Trauer wieder über das ganze Dorf gelegt hatte, bekamen sie ein schlechtes Gewissen. Sie besannen sich wieder auf das Glück und den Ort, wo die Familie bedingungslose Liebe, mit Herr Freude, Frau Mut und Kind Fröhlich wohnten.

Dann schmuggelten sie überall gute Nachrichten in die Häuser des Dorfes. Diese waren einfach zu finden, denn sie waren ja auf der Festplatte des Computers von Herrn Freude abgespeichert. Herr Freude stellte die guten Nachrichten nur zu gerne zur Verfügung. Zum einen war ja gerade dies der Zweck seiner Arbeit, zum anderen war es immer wieder schön zu sehen, wie sich die Freude, langsam, aber sicher, in jedes Haus schlich und der bedingungslosen Liebe und dem Mut, Tür und Tor öffnete.

Diese Geschichte beschäftigte Sonnjas Verstand noch eine Weile. Sie spürte, dass es an der Zeit war, sich einen geschichtefreien Tag zu gönnen.
Sie nahm sich Zeit, Westminster Abbey, die Tower Bridge und Big Ben zu besuchen. Zum krönenden Abschluss des Tages leistete sie sich eine Fahrt auf dem London Eye, dem höchsten Riesenrad Europas.

Am nächsten Morgen stieg sie in den Zug nach Edinburgh, um Mary, die Freundin von Rose, zu besuchen.
Auch Mary empfing Sonnja herzlich und war gerne bereit, ihr ihre Geschichte zu erzählen.

Prinzessin Mary

Jeder von uns hat manchmal tausend gute Ideen. Wie junge Geisslein rennen sie uns voraus, zeigen sich in den schönsten Bildern, nur um sich dann wieder zu verwandeln, um uns zu zeigen, was alles nicht funktioniert, was wir alles nicht können, und dass wir unsere Ideen gleich wieder begraben können.

Genau so erging es Prinzessin Mary. Da sie wusste, was sich für eine Königstochter gehörte, getraute sie sich oft nicht einmal, ihre Ideen laut auszusprechen.

Doch ein Wunsch liess ihr keine Ruhe. Mary wollte Ballett tanzen. Diesen Wunsch sprach sie voller Freude laut aus.

Als das Kindermädchen dies hörte, lachte es und sagte: «Vergiss das, du bist zu dick und zu ungeschickt.» Mary musste nur in den Spiegel schauen, wenn sie genau hinsah, sah sie es auch. Sie war offensichtlich dick und ungeschickt.

Ein paar Jahre später durfte sie in die Tanzschule für Prinzessinnen. Das war zwar nicht dasselbe wie Ballett, aber auch schön und für eine Prinzessin erst noch nützlich.

Im Winter liebte es Mary, mit dem Feldstecher zum gefrorenen See hinunter zu schauen. Sie beobachtete, wie die Mädchen Pirouetten liefen und Sprünge übten und wünschte sich, sie könnte dies auch.

Nun hatte Mary einen neuen Traum; sie wollte Eiskunstlauf lernen. Nicht, weil sie Eiskunstläuferin werden wollte, denn sie wusste sehr wohl, sie war eine Königstochter und das passte nun mal nicht. Sie wollte einfach lernen, mit Leichtigkeit und Freude, Sprünge zu machen und Pirouetten zu drehen.

Trotzdem fragte sie die Königin gar nicht erst um Erlaubnis, denn sie hatte keine Idee, wer sie zum See hinunterfahren konnte. Die Königin brauchte den Kutscher, um ihren Pflichten nachzukommen, ihr Vater, der König, hatte sowieso keine Zeit und das Kindermädchen bestimmt keine Lust. So begrub Mary auch diesen Traum.

Doch noch immer stand sie oft stundenlang am Fenster und schaute den Mädchen beim Eiskunstlauf zu.

Sie war überzeugt, ihren Eltern von ihrem Traum zu erzählen, mache ja doch keinen Sinn.

So gingen die Jahre dahin. Mary las viel, ging gerne in die Prinzessinnenschule und wurde langsam selbstständig.

Eines Tages nahm sie ihren ganzen Mut zusammen, schlich sich zum See und kaufte sich ein paar Schlittschuhe. Von da an gab es für Mary kein Halten mehr. Sie liebte es, mit den Schlittschuhen auf dem See zu gleiten, mit anderen Jugendlichen fangen zu spielen und einfach ein normales Mädchen zu sein.

Der König und die Königin waren noch immer sehr beschäftigt und das Kindermädchen hatte am Wochenende frei, so kümmerte es niemanden, was die Prinzessin während dieser Zeit tat. Dem Königspaar fiel zwar auf, dass die Prinzessin immer fröhlicher wurde, doch sie dachten, das Mädchen sei nun endlich vernünftig geworden und freue sich darüber, eine Prinzessin zu sein.

Dann zog der Frühling ins Land und das Eis auf dem See schmolz. Die Prinzessin weinte bittere Tränen, denn ab jetzt erschien ihr das Leben wieder eintönig und grau.

Die Königin dachte, ihrer Tochter sei einfach langweilig, so entschied sie, dass es für Mary an der Zeit war, sich in die Pflichten einer erwachsenen Prinzessin einzuarbeiten, sich dementsprechend zu benehmen, zu frisieren und anzuziehen.

Doch genau wie Rose, mochte auch Mary dieses ganze Drumherum nicht. Was sie hingegen gerne tat, war, Kleider für ihre Puppen zu entwerfen und zu schneidern.

Eines Tages, als sie sich wieder diesem Hobby widmete, wusste sie plötzlich genau was sie wollte. Sie wollte Modedesignerin werden. Ihr Herz machte einen freudigen Sprung.

Begeistert lief sie zur Königin und erzählte ihr von diesem Plan. Doch ihr könnt euch wohl denken, was geschah.

Die Königin schaute sie nur an und schüttelte den Kopf. Sie fragte Mary, wie sie sich das denn vorstelle, eine Prinzessin als Modedesignerin? Wer soll denn dann ihre Prinzessinnenpflichten übernehmen? Etwa ein Mädchen aus dem Dorf?

Noch immer schüttelte sie den Kopf und wunderte sich einmal mehr über die Ideen ihrer Tochter. Aber naja, sie war ja noch jung, sie wird schon noch lernen, was passend war und was nicht. Wie sehr Mary unter dieser Entscheidung litt, konnte die Königin nicht sehen, denn, wie schon gesagt, sie hatte immer sehr viel zu tun.

Bald darauf lernte Mary im Ballsaal einen schönen, fröhlichen Königssohn kennen. Die beiden verliebten sich und schon kurz darauf bat der Königssohn den König um Marys Hand.

Sowohl das Königspaar als auch Mary freuten sich sehr darüber. Im Sommer feierte das Paar eine wunderschöne Hochzeit und Mary zog mit ihrem Prinzen in ein neues Schloss.

Nun wünschte sich Mary sehnlichst eigene Kinder. Als sich dieser Wunsch erfüllte, zog sich Mary von ihren Prinzessinnenpflichten zurück. Dies war kein Problem, denn ihre Mutter, die Königin, war noch immer stark und gesund. Sie kam mühelos selbst mit den Pflichten im und um den Königshof klar.

So hatte Mary Zeit, mit ihren Kindern all das zu machen, was sie selbst am liebsten tat. Spielen, musizieren, im Wald Würste braten, im See schwimmen und im Winter Schlittschuhlaufen.

Eigentlich ging es der Prinzessin jetzt gut. Doch der Kummer darüber, was ihr früher alles verwehrt wurde, nagte so sehr an ihr, dass sie krank und immer kränker wurde. Niemand konnte ihr helfen. Es wurden die besten Ärzte ins Haus geholt, die teuersten Ferien in ferne Länder gemacht, aber absolut nichts half.

Inzwischen war die Prinzessin so schwach, dass sie nur noch den ganzen Tag herumsitzen konnte. So nahm sie das Angebot der Königin, sich um Marys Kinder zu kümmern, gerne an.

Dies machte sowohl der Königin als auch den Kindern Spass, doch Mary langweilte sich. Sie fühlte sich überflüssig und leer.

Eines Morgens bekam sie eine Postkarte mit einem wunderschönen, selbstgemalten Bild. Die Karte kam von ihrer Tante Anne. An diese Tante erinnerte sich Mary gerne, denn schon immer hatte Tante Anne wunderschöne Bilder gemalt.

Das Bild gefiel Mary so gut, dass sie Lust bekam, ein Gedicht dazu zu schreiben. Aus einem Gedicht wurden zwei, dann drei und immer mehr. Bald freute sich Mary richtig darauf, am Morgen aufzustehen und Gedichte zu schreiben.

Aus den Gedichten entstanden in Marys Kopf immer neue Bilder und aus diesen Bildern wiederum neue Geschichten. Mit der Zeit ging es ihr nicht nur gesundheitlich viel besser, sie hatte auch ihre Lebensfreude und ihren Humor wiedergefunden.

Das Geschichteschreiben brachte Mary genau dorthin, wo jeder Mensch hingehört; nämlich in die Verbindung mit dem eigenen Herzen.

In Marys Herz wohnt, genau wie in jedem anderen Herz auch, sehr viel Lebensweisheit, Liebe und Freude. All dies floss beim Schreiben wie von selbst in ihre Geschichten. So konnte Mary viel über sich und das Leben lernen.

Sie lernte, dass Königinnen und Könige nun mal ihre Verpflichtungen haben und dass man seinen Kindern nicht alle Wünsche erfüllen kann. Was sie aber vor allem lernte, war, den Menschen mit einem offenen Herzen zuzuhören und Ideen erst dann zu begraben, wenn alle Möglichkeiten ausgeschöpft waren und es wirklich nicht anders ging.

Ab und zu flüstert ihr der Widerstand noch immer ins Ohr; lass es lieber bleiben, du bist zu dick, zu ungeschickt und überhaupt, das tut man doch nicht. Doch auf solche Geschichten fällt Mary zum Glück nur noch selten herein.

Die Zeit bei Mary war wie im Flug vergangen. Ein Blick auf die Uhr zeigte Mary, dass sie jetzt unbedingt das Mittagessen für ihre Familie kochen musste.

Beim Abschied erkundigte sich Sonnja nach den Sehenswürdigkeiten von Edinburgh.

Mary fand, dass Sonnja sich den Besuch von Edinburgh Castle auf keinen Fall entgehen lassen dürfe.

Da Sonnja etwas Bewegung brauchte, entschloss sie sich, zu Fuss zum Schloss auf dem Bergplateau, inmitten der Stadt, hinaufzusteigen.

In der Umgebung des Schlosses gibt es überall Pubs und gemütliche Cafés, so gönnte sich Sonnja zuerst eine Pause und ein Mittagessen im ältesten Pub der Stadt.

In diesem Pub hängen, unter anderem, Bilder von Königen und ihren Familien. Ein Bild aus dem 15. Jahrhundert zeigt einen strahlenden Prinzen, welcher in einem Rollstuhl unter einer Trauerweide sitzt. Dahinter sieht man einen langen, gedeckten Tisch und viele fröhliche Menschen.

Dieses Bild faszinierte Sonnja so sehr, dass sie den Wirt fragte, ob er ihr etwas dazu erzählen könne.

Da der Wirt ein gebürtiger Schotte war, genauso wie alle seine Vorfahren auch, kannte er die Geschichte und erzählte sie Sonnja so, wie sie ihm einst erzählt wurde.

Der Königssohn

Es war einmal ein König, der hatte einen Sohn Namens Philippe. Philippe war ein sehr trauriges Kind. Er hatte schon früh seine Mutter verloren und vermisste sie so sehr, dass er krank wurde.
Immer wenn Philippe aufstand, um sich Wasser zu holen, knickten ihm die Beine ein. Egal wie hartnäckig er es versuchte, seine Beine gehorchten ihm nicht. Da er sich aber nicht bedienen lassen wollte, war guter Rat teuer.
Der König überlegte die ganze Zeit, was er tun könnte. Eines Nachts sah er im Traum einen Stuhl mit grossen Rädern und Griffen. Man konnte die Räder selbst anschieben, sich aber auch schieben lassen. Aufgeregt rief er seine besten Handwerker zusammen, um gemeinsam dieses Gefährt Namens Rollstuhl zu bauen.
Der Prinz freute sich sehr, doch kaum sass er im Rollstuhl, versagtem ihm die Arme. Er schaffte es zwar gerade noch, ein Wasserglas oder das Besteck zu halten, doch um sich selbstständig fort zu bewegen, reichte seine Kraft nicht mehr.
Auch das Schlucken wurde immer schwieriger, er schaffte gerade noch so viel wie er zum Überleben brauchte, mehr ging nicht.
Da kam eines Tages eine weise Fee und sang ein wunderschönes Lied. Der Prinz verstand zwar die Worte nicht, aber er spürte, dass es etwas mit ihm machte. Er musste lange und heftig weinen.
Er weinte den ganzen Schmerz um seine verlorene Mutter aus seinem Herzen und seiner Seele. Der König hatte Angst, dass sein Sohn nun endgültig in seinem Schmerz ertrinken würde, doch dem war nicht so.
Im Gegenteil; dort wo der Schmerz wohnte, gab es nun endlich wieder Platz für die Liebe, welche ihm die Fee mit ihrem Lied zurückgebracht hatte.

Er spürte, dass dieses Lied des Herzens, welches die Fee für ihn sang, ein Schlüssel war, welcher ihm den Weg zu seinem eigenen Herzen öffnete.

Er hatte es nur vergessen. Er hatte vergessen, dass er beim Tod seiner Mutter sein Herz verschlossen hatte, um es vor weiterem Schmerz zu schützen. Doch dies tat so unendlich weh.

Die Fee erklärte ihm: «Ein verschlossenes Herz kann niemanden vor erneutem Schmerz schützen. Das offene Herz hingegen kann alles erleuchten und erwärmen, sodass selbst die dunkelste Trauer sich wandeln kann.»

Während er über diese Worte nachdachte, schaute er aus dem Fenster. Im Garten des Schlosses stand eine grosse, alte Trauerweide. Philippe beobachtete eine Amsel, welche sich immer wieder in den Schatten und dann wieder in die Sonne stellte, auf den Baum flog und wieder hinunter.

Währenddessen erklärte ihm die Fee, dass seine Gedanken ständig mit seinem Schicksal beschäftigt waren. Doch im Grunde waren sie genauso frei wie dieser Vogel. Sie konnten genauso hüpfen wie diese Amsel und sich genauso gut mit positiven Dingen beschäftigen.

Dank der Fee und seinem endlich wieder geöffneten Herz, fiel Philippe dies jetzt viel leichter.

Das erstaunliche daran war; je mehr er übte, seine Gedanken auf positive Ereignisse zu richten, desto beweglicher wurde sein Körper. Philippe ging es von Tag zu Tag besser.

Der König freute sich so sehr darüber, dass er ein grosses Fest veranstaltete.

Er lud alle Freunde ein und liess Tische und Bänke unter die Trauerweide stellen. Es gab ein tolles Essen, Spiele und fröhliche Musik. Die Menschen hatten so viel Spass, dass sogar die Trauerweide lachen musste.

Was der König und der Prinz nicht wussten, war, dass auch die Königin, die Mutter von Philippe, als Engel dem fröhlichen

Treiben zuschaute. Auch sie war erleichtert, dass es Philippe endlich wieder besser ging. Denn auch Engel sind manchmal traurig, wenn es denn Menschen auf der Erde nicht gut geht.

So wurde es ein wunderschönes Fest mit vielen strahlenden Menschen, einem glücklichen Engel und einer lachenden Trauerweide.

Jetzt da Sonnja die Geschichte zum Bild kannte, gefiel ihr das Bild noch viel besser. Nach dem Mittagessen besichtigte sie Edinburgh Castle. Anschliessend setzte sie sich für eine Weile auf eine Bank im Schlosspark und liess alle Eindrücke auf sich wirken.

Das fröhliche Schwatzen der Touristen, der leichte Wind, welcher sanft über ihr Gesicht strich, der herrliche Duft der Blumen, den ihr der Wind zutrug und das Zwitschern der Vögel machten sie schläfrig. Gerade als sie ein wenig einnickte, spürte sie, wie eine Amsel auf ihrer Schulter landete.

Überrascht wandte sie sich der Amsel zu.

Die Amsel hatte von anderen Vögeln gehört, dass Sonnja Geschichten sammelte. Die Vögel erzählten sich aber auch, dass sich Sonnja kaum Pausen gönnte und inzwischen ziemlich müde wirkte. Deshalb landete diese Amsel auf Sonnjas Schulter, um ihr die Geschichte von ihrer Amselmutter, Amalia, zu erzählen.

Die fleissige Amsel Amalia

Die Amsel Amalia war fleissig, hilfsbereit und nett und hatte ein riesengrosses Herz. Sie freute sich, wenn sie jemandem eine Freude machen oder helfen konnte, sie war glücklich, wenn die anderen glücklich waren. Nur manchmal, und in letzter Zeit immer öfter, war sie einfach nur müde.

Egal wie viel sie sich den ganzen Tag abrackerte, sie konnte tun und lassen was sie wollte; sie wurde einfach nie fertig. Nie war alles geputzt, aufgeräumt und erledigt. Kaum war sie irgendwo fertig, hockte die Arbeit schon wieder in der nächsten Ecke, kaum brauchte eine Nachbarin ihre Hilfe nicht mehr, hatte jemand anderes ein Problem.

Am Anfang fand es Amalia spannend, anderen Wesen, mit ihren verschiedenen Sorgen und Lebensarten, zu helfen, doch irgendwann wurde es ihr eindeutig zuviel.

Sie nahm ihren Hut, packte ihr Bündel und flog Richtung Süden. Ach, war das herrlich. Sommer, Sonne, Sonnenschein, so sollte das Leben immer sein.

Am Anfang hatte sie noch Mitleid mit all denen, welche bei dieser Hitze arbeiten mussten, aber mit der Zeit genoss sie einfach ihre Ferien, ihren Liegestuhl und das Träumen.

Sie träumte, sie lebte auf einem wunderschönen, fliegenden Teppich. Dieser Teppich strahlte in den schönsten Farben, und was immer sie brauchte, der Teppich gab es ihr. Merkwürdig war nur, dass Amalia in ihrem Traum nie etwas anderes als Farbe brauchte. Das erstaunliche war, egal wie viel Farbe der fliegende Teppich abgab, er schien immer noch leuchtender zu werden. Die Farben schienen sich direkt auf Amalia abzufärben, oder gingen sie sogar von ihr aus?

Das Leuchten des Teppichs war so stark, dass sie es nicht herausfinden konnte.

Doch plötzlich wachte Amalia aus ihrem Traum auf, und alles, was jetzt leuchtete, war ein schmerzhafter, feuerroter Sonnenbrand. Wie konnte sie nur so dumm sein und in der Mittagszeit so lange unter dem Sonnenschirm schlafen? Es wusste doch jedes Kind, dass die Sonne am Himmel wandert, und somit der Schatten auch. Der Schatten ihres Sonnenschirms war inzwischen ein grosses Stück von ihr weggerückt.

Mit hängendem Kopf ging die Amsel zurück auf ihr Zimmer, wohlwissend, dass das Sonnenbaden für die nächsten Tage gestrichen war. Aber das war ihr eigentlich auch egal, denn es war überhaupt nicht ihre Art, so lange an einem Ort zu liegen und zu dösen. Wenn sie ehrlich war, fand sie es auch schon wieder langweilig.

Ob sie dem Personal beim Putzen helfen sollte, oder den Kellnern beim Tische decken?

Das Personal verstand ihren Wunsch nicht und schüttelte nur den Kopf.

Auch im Garten des Hotels gab es nichts zu tun, so ging sie schlussendlich shoppen. Aber jedes Mal, wenn sie sich ein Kleidungstück anprobieren wollte, wurde sie schmerzlich an ihren Sonnenbrand erinnert und überhaupt; zum Shoppen war es viel zu heiss. Sie ging zurück in ihr Zimmer, legte sich aufs Bett und begann wieder zu träumen.

Der fliegende Teppich lud sie ein, sich wieder draufzusetzten.

Das fühlte sich so gut an. Das Gefühl dieser Farben kannte sie irgendwoher, sie konnte es nur nicht einordnen. Aber wie konnten Farben überhaupt ein Gefühl vermitteln?

Natürlich verband sie Rot mit Liebe, aber es war irgendwie anders, nachhaltiger. Und wie schon im letzten Traum, konnte sie diese Farben aussenden und verteilen, es war, als ob die ganze Welt bunter würde.

Noch immer am Träumen, dachte sie, wie schön wäre es, wenn sie so einen Teppich hätte, und dies den ganzen Tag tun könnte.

Kaum hatte sie den Gedanken fertig gedacht, erschien ihr die wunderschöne Möwe Jonathan. Diese sprach: «Schau dir deinen Körper an, du bist ein Vogel, du kannst fliegen, wozu brauchst du einen Teppich?»

Die Amsel erwiderte: «Mein Körper ist schwarz, ich kann nicht leuchten, und somit habe ich nichts Kostbares zu verschenken. Egal wie viel ich zuhause arbeite und helfe, es scheint nie genug zu sein, immer ist jemand unzufrieden.»

«Da irrst du dich», sprach Jonathan und schaute zusammen mit der Amsel in einen Zauberspiegel.

Dort sah Amalia ihr Zuhause, aber auch sich selbst, wie sie immer fleissig war, allen half und immer für alle ein Lächeln übrig hatte. Was sie auch sehen konnte, war, dass ihr Helfen den Menschen manchmal ein Lächeln ins Gesicht zauberte und ihr Herz erstrahlen liess. Sie konnte ganz klar sehen, dass an diesen Tagen auch ihr eigenes Herz strahlte und das Strahlen weite Kreise zog. Es war fast so, wie mit den Farben des Teppichs.

Dann gab es einen Szenenwechsel. Amalia sah sich selbst, müde und abgekämpft, immer noch putzend und helfend. Egal wie sehr sie sich auch anstrengte, es verbreitete sich kein Licht; weder bei ihr noch bei den anderen, sie war und blieb einfach nur müde.

Nachdenklich fragte Amalia die Möwe: «Warum ist das so? Warum erstrahlt an manchen Tagen dieses Leuchten und an anderen Tagen nicht?»

Darauf antwortete Jonathan: «Es hat mit dem Herz zu tun. Wenn du alles, was du tust, aus dem Herz heraus tust, weil es dir Freude macht, oder einfach, weil dir danach ist, entsteht eine wunderschöne Herzenergie. Diese kann zu allen Menschen fliessen.

Wenn du dich aber selbst übergehst, wenn du die Wünsche der anderen Wesen stets wichtiger nimmst als deine eigenen, wird dein Herz schwer und dunkel, du wirst müde oder sogar krank. In diesem Moment ist kein Licht mehr da, welches du verströmen kannst.» Noch während die Amsel über die Worte von Jonathan nachdachte, öffnete dieser seine wunderschönen, grossen Flügel und nahm Amalia einfach in seine Flügelarme.

War das ein Gefühl. Der Amsel wurde es ganz warm und ihr Herz wurde strahlend hell. Doch nicht nur das Herz strahlte; plötzlich begannen am ganzen Körper Punkte in Rot, Orange, Gelb, Grün, Blau, Violett und Weiss zu leuchten.

War das ein Anblick. Sie fühlte sich wie auf dem fliegenden Teppich.

Jonathan schaute die Amsel an und sprach: «Dies sind die natürlichen Farben, welche in jedem Lebewesen wohnen. Am stärksten spürt ihr das Herz, darum ist es am einfachsten, mit diesem Licht zu arbeiten.

Diese Arbeit bedeutet nicht, dass du etwas tun musst, es bedeutet, einfach für jemanden da zu sein, vor allem aber auch für dich selbst. Wenn du niemanden hast, nimm dich selbst in die Arme, sei für dich da. Umarme einen Baum, geniesse die Farben der Natur; so wird dein Leben gleich wieder bunt. Diese Farben in dir zu nähren und auszustrahlen, hilft oft viel mehr als tausend Worte.»

Dies musste Jonathan der Amsel nicht weiter erklären, das hatte sie jetzt selbst erlebt.

Es wurde ihr klar, dass sie zuhause immer das Gefühl hatte, etwas tun zu müssen, sei es für den Haushalt, für andere Menschen oder für sich selbst. Nun hatte sie aber gemerkt, dass es darum ging, regelmässig einfach zu sein und zu spüren.

Für jemanden da zu sein, ohne etwas zu tun.

Einfach nur das Herz öffnen und zuhören. Sie merkte, dass es keine Rolle spielte, ob sie ihr Herz für sich selbst oder für andere öffnete.

Immer wenn ihr Herz offen war, wurde ihr Körper von ihrem eigenen Herzlicht genährt. Gleichzeitig spürten auch die anderen Vögel diese heilende Kraft. Wenn Amalia es nicht mehr schaffte, ihr Herz zu öffnen, wusste sie, es war Zeit, um sich selbst zuzuhören, um herauszufinden, was sie und ihr Körper jetzt gerade brauchten.

Beim Zuhören dieser Geschichte wurde Sonnja bewusst, dass sie in ein altes Muster gefallen war. Es konnte ihr wieder einmal nichts schnell genug gehen.

Seit sie begonnen hatte, Geschichten zu sammeln und aufzuschreiben, waren gerade mal drei Wochen verstrichen.

Sie hatte sich kaum Zeit genommen, die vielen Geschichten, Eindrücke und Erlebnisse zu verarbeiten.

Ehrlicherweise musste sie zugeben, dass sie wirklich müde war und sich ziemlich anstrengen musste, um sich die Geschichten mit offenem Herzen anzuhören.

Am Abend setzte sich Sonnja auf ihr Bett, um herauszufinden, was sie jetzt am liebsten tun würde.

Sie erinnerte sich an die Erzählungen von Yvonne, der Bibliothekarin, und sogleich wusste sie was sie wollte: Natur, Weite, Ruhe und wandern.

Am nächsten Morgen buchte Sonnja einen Flug nach Denver, Colorado, in das Land der Cowboys und Indianer. Das Land der Canyons, mit den vielen Naturparks und den scheinbar unbegrenzten Möglichkeiten.

Amerika

Nach der Landung in Denver holte sich Sonnja ihr Gepäck und mietete ein Auto. Es war ein herrlicher Tag. Sie liess alle Fenster hinunter, fuhr los und genoss die angenehm frische Luft und die Sicht auf die vielen Berge.

Während sie sich umschaute, erblickte sie ein Informationscenter, wo sie sich eine Landkarte und einen Reiseführer besorgte.

Darin stand, dass Colorado seinen Namen im 16. Jahrhundert aufgrund seiner auffallend farbigen Gebirgsformationen bekam. Sie las, dass Colorado der gebirgigste Staat der USA sei und zahlreiche Gipfel hatte, welche eine Höhe von bis zu 4000 Metern erreichten.

Sehenswert seien eine vielfältige Landschaft aus trockenen Wüsten und tiefen Schluchten, die schneebedeckten Rocky Mountains und der Mesa Verde Nationalpark mit Felsbehausungen der Anasazi-Tradition.

Sonnja freute sich schon sehr auf den Rocky Mountain Nationalpark.

Ausgerüstet mit allen nötigen Informationen, stieg sie wieder in ihr Auto und machte sich auf den Weg in das 70 Kilometer entfernte Boulder, am Fusse der Rocky Mountains.

Ihr Hotel lag in Downtown Pearl Street, einer Fussgängerzone mit kleinen Geschäften, Cafés und Restaurants.

Nachdem sich Sonnja in ihrem Hotel einquartiert hatte, setzte sie sich in ein Café mit schattenspendenden Bäumen und Blick auf die Rocky Mountains. Obwohl es erst Nachmittag und noch ziemlich heiss war, wollte Sonnja nur noch etwas essen und sich ausruhen. Im Flugzeug hatte sie nicht viel geschlafen und die Zeitverschiebung machte sich auch bemerkbar.

So entschied sie sich, früh schlafen zu gehen, den nächsten Tag langsam anzugehen und sich erstmal die Sehenswürdigkeiten der Stadt anzusehen.

In der zweiten Nacht schlief sie schon besser. Nach einem ausgiebigen Frühstück
packte sie ihre Sachen und fuhr zum Rocky Mountain National-park. Sie hatte in der Nähe eine Unterkunft in einer kleinen, rustikalen Lodge gebucht.

Nach einer kurzen Pause machte sie eine erste Wanderung im nahegelegenen Wald. Als erstes vielen ihr die vielen Streifen-hörnchen auf.

Wie immer auf Wanderungen, hatte Sonnja Nüsse dabei, welche sie sich an einem schönen Platz, mitten im Wald, mit den Strei-fenhörnchen teilte.

In stiller Eintracht sassen sie eine Weile nebeneinander und assen, bis eines auf ihre Schulter kletterte und sie am Ohr kitzelte.

Zuerst dachte Sonnja, es wolle einfach nur spielen, doch dann realisierte sie, dass es ihr eine Geschichte erzählen wollte.

Hoch erfreut machte sie ihr Herz weit auf, damit sie das Strei-fenhörnchen gut verstehen konnte. So kam Sonnja zu der Geschichte von Leo dem Bären, welche sich die Eichhörnchen seit Generationen weitererzählten.

Leo der Bär

Leo lebte im Tal der Bären. Er war oft ein wütender Bär, denn immer wieder wurde ihm gesagt, wie er sein sollte. Die Mutter sagte ihm: «Lerne endlich zu klettern wie ein Affe, damit du dich in Sicherheit bringen kannst, wenn Gefahr droht.» Der Vater sagte: «Als ich in deinem Alter war, lernte ich, mich überall durchzuschlängeln; das ist sehr praktisch. Lerne dich endlich zu bewegen wie eine Schlange.»

Die Schlange säuselte ihm ins Ohr: «Glaube ja nicht, nur weil du ein Bär bist, kannst du dir alles erlauben, dich einfach benehmen wie ein Bär, dich in deiner Höhle verkriechen und ein Nickerchen machen.»

Leo wurde dies immer wieder zuviel, denn was er auch probierte und wie er sich auch bemühte, er war und blieb ein Bär.

Die Bärenmutter verstand nicht, dass es genügte, ein Bär zu sein. Sie konnte den Nutzen der grossen Ruhe, der stillen, ruhigen Kraft, und des grossen Herzens der Bären nicht sehen. Sie wusste nicht, dass, wenn es denn sein musste, auch Bären grosse Sprünge machen und schnell rennen konnten.

Sie dachte, Bären seien einfach nur dick und schwerfällig; man könne sie zu nichts gebrauchen. Sie dachte, Bären wollten immer nur fressen und schlafen.

Eines Tages begegnete Leo einem fröhlichen Eichhörnchen.

Er sagte zu ihm: «Du hast es gut; du bist leicht und graziös, du kannst dich flink bewegen, von Baum zu Baum springen und wann immer es gefährlich wird, kannst du dich überall verstecken.

Dies alles kann ich nicht, ich bin gross, faul und schwerfällig, und als ob das noch nicht genug der Schande wäre, tauften sie mich auch noch Leo, wie ein Löwe.»

Der Bär begann bitterlich zu weinen, sodass das Eichhörnchen

beinahe in seinen Tränen ertrank. Zuerst war das Eichhörnchen ein wenig erstaunt, es glaubte, der Bär mache einen Scherz. Aber als die Tränen immer mehr wurden, stieg es dem dicken Bären auf die Schultern und flüsterte ihm ins Ohr: «Mein lieber Bär, hier und jetzt ist alles gut. Schau dich um, wir leben in einem schönen Wald, die Sonne scheint und die Vögel zwitschern.
In den Bäumen hängt überall Honig, es gibt leckere Früchte und wenn das Wetter umschlägt, gehst du einfach in deine Höhle.
Du bist so gross, du könntest mich mit einem Fuss zertrampeln, deine Stimme ist so laut, du könntest mich mit einem Schrei wegpusten und du weinst wie ein Baby, weil du denkst, dass du nicht gut genug bist? Nur weil du nicht wie ein Affe klettern und nicht wie eine Schlange schlängeln kannst?
Die andern wollen dir doch nur Angst machen. Weisst du denn nicht, wie mächtig, gross und wunderschön du bist?»
Mit diesen Worten öffnete das Eichhörnchen Leos grosses Herz. Es begann weit und wunderschön zu strahlen, alles um ihn herum wurde hell. Plötzlich konnte er ganz klar sehen, woher sein Problem kam und was seine Aufgabe war.
Er sah die Angst seiner Mutter, welche nur deswegen wollte, dass er wie ein Affe klettern konnte, weil sie nicht wusste, wie klug, stark und mächtig ein Bär ist. Das Problem seines Vaters, welcher dachte, dass ein Bär sich durchschlängeln muss, weil er nicht wusste, dass ein Bär sich nicht anpassen und verstecken muss.
Beide Elternteile wussten nicht, dass Bären ein grosses, mutiges Herz voller Liebe haben, welches ihnen Kraft und Schutz verleiht. Dies wurde ihnen leider nie gezeigt.
Alle Wesen, egal ob Mensch oder Tier, haben ein grosses und wunderschönes Herz, doch aus Angst halten sie es oft verschlossen. Daher wissen sie nicht, dass ein offenes Herz den Weg zeigen und Mut machen kann.
Das Schlimmste ist, gerade weil sie dies nicht wissen, schlagen

sie jedem auf den Kopf, der in der Dunkelheit sein Herzlicht leuchten lässt.

Natürlich nicht, weil sie gemein sind, sondern weil sie Angst haben. Weil sie wissen, die im Dunkeln sieht man nicht, und sie wollen ja, aus Angst wovor auch immer, nicht gesehen werden.

Und trotzdem; manchmal ist ihnen die Welt dann doch zu dunkel, dann sehnen sie sich nach dem Licht.

Wenn die Sonne scheint, ist es einfach; sie richten sich nach der Sonne aus und alles ist wieder gut. Doch wenn es dunkel ist? Wo finden sie dann ihr Licht? Wie entkommen sie dann ihrer Trauer?

Die Menschen und Tiere, welche Leo kannten oder von ihm gehört hatten, gingen zu ihm in seine Höhle. Dort brannte immer ein Feuer, welches Wärme und Licht spendete.

Das Licht des Feuers spiegelte sich in ihren Augen und erwärmte ihr Herz. Es erinnerte sie an gute Tage, an die Freude im Leben, an Freundschaft und Liebe, und plötzlich, ohne dass sie etwas dafür taten, wurde es ihnen warm ums Herz.

Ihre Herzen wurden wieder hell und fröhlich und so gingen sie gestärkt, voller Mut und Vertrauen, nachhause.

Und was hatte der Bär getan? Nichts, er sass einfach in seiner Höhle und schaute zum Feuer. Er war einfach da, mit seiner Ruhe und seinem offenen Herz.

Ganz entspannt, weil er in diesen Momenten spürte, dass er genau dort war, wo er sein sollte; genau an dem Platz, welcher das Universum für ihn ausgesucht hatte.

Mit der Zeit merkte der Bär, dass es ziemlich cool war, ein Bär zu sein. Nichts anderes zu tun zu haben, als den anderen, in seiner Höhle, Schutz, Wärme und Geborgenheit zu geben. Mehr brauchte es nicht.

Gegen Ende der Geschichte konnte Sonnja diese grosse Ruhe und dieses Vertrauen auch in ihrem eigenen Herzen spüren. Sie freute sich sehr und bedankte sich beim Eichhörnchen. Auf dem Rückweg dachte sie noch eine Weile über die Geschichte nach. Zurück in ihrem Zimmer, schrieb sie sie sogleich auf.

Am nächsten Morgen erwachte Sonnja früh, denn sie freute sich auf die geplante Wanderung im Nationalpark, auf die wunderschönen Berge, Wasserfälle und Seen.
Sie genoss das Wandern, aber vor allem liebte sie es, den Adlern beim Fliegen zuzuschauen.
Sonnja bewunderte ihr Vertrauen, sich einfach vom Wind tragen zu lassen. Gerne hätte sie gewusst, wie es sich anfühlt, ein Adler zu sein.
Nach einem langen Aufstieg, oberhalb der Baumgrenze, suchte sie sich einen schattigen Platz, legte sich hin und hielt Ausschau nach einem Adler.
Da viele Tiere spüren, ob sie einem Menschen vertrauen können oder nicht, erstaunt es nicht, dass sich ihr schon bald eine wunderschöne Adlerfrau zeigte und sich nach einer Weile zu ihr setzte, um ihr die Geschichte von Adele zu erzählen.

Das kleine Küken Adele

Es war einmal ein kleines Küken, das hatte schrecklich Heimweh. Es sehnte sich nicht nach Geschwistern, auch nicht nach seinen Eltern, es wollte einfach heim. Heim tönte für das Kleine nach heiler Welt, nach schön, nach Geborgenheit und Frieden, aber vor allem sollte alles perfekt sein.

Immer wieder fragte es sich, wo ist dieser Ort, wer bin ich überhaupt und wo gehöre ich hin?

Regelmässig kam ein grosser Adler und sprach zu ihm. Doch das Küken hatte solche Angst vor dem Adler, dass es ihm vor lauter Zittern gar nicht zuhören konnte. Es sah nur diesen riiiiiesigen Schatten, den grossen Schnabel und die riesigen Flügel. Gebannt und gelähmt von diesem Anblick konnte es den Adler zwar hören aber nicht verstehen.

Manchmal, in der Nacht, träumte es von diesem Adler. Noch immer machte er ihm Angst. Ab und zu beobachtete es ihn beim Fliegen. Es war faszinierend, wie er seine Kreise zog und sich vom Wind tragen liess. Genau das wollte es auch sein; ein grosser, wunderschöner Adler. Einfach schweben, frei und unabhängig, hoch oben in der Luft, immer mit einem guten Überblick und vor Angriffen geschützt.

Was das Küken wunderte, war, dass der Adler ihm immer wieder Futter zuwarf, es ab und zu sogar fütterte, wenn es sich ausnahmsweise nicht vor lauter Angst verkroch.

Was es noch mehr erstaunte, war, dass es immer grössere Flügel bekam, und zwar braune, genau wie die des Adlers.

Aber wieso waren seine Flügel braun, es wollte doch weisse haben, es schämte sich für braune Flügel, es war doch ein Mädchen.

Unser Küken Adele war inzwischen gross geworden, es mauserte sich zu einer Adlerfrau. Doch das war ihm nicht bewusst und es wollte es auch gar nicht hören. Noch immer machte ihm die Anwesenheit des grossen Adlers Angst und noch immer machte es am liebsten die Ohren zu, wenn er mit ihm sprach.

Daher wusste es nicht, dass dieser Adler sein Vater war. Seine Mutter war gleich nach der Geburt gestorben, daher konnte sie es dem kleinen Küken nie sagen.

Im Wald, in der Nähe von Adeles Nest, lebte eine Eule, welche Adele immer mal wieder besuchen kam.

Sie war nicht so beängstigend wie der Adler. Ihre Federn waren wunderschön weiss, genau so, wie Adele ihre auch haben wollte. Am liebsten tarnweiss, damit sie sich gut verstecken konnte.

Die Eule war lieb und klug und vermittelte dem jungen Vogel auf ihre sanfte, mütterliche Art, sehr viel Wissen. Doch noch immer hatte Adele Mühe mit dem Zuhören und Verstehen. Das Problem war nicht, dass sie etwas mit den Ohren hatte; ihr Problem war, dass sie immer etwas anderes hören wollte als das, was man ihr sagte, und etwas anderes haben wollte als das, was sie hatte.

Sie wollte von der Eule immer wieder hören, wie sie ihre Federn weiss machen kann.

Regelmässig versicherte ihr die Eule, ihre Federn seien wunderschön in braun, genau wie die des Adlers. Sie sagte zu Adele: «Du hast Flügel, mit denen du wunderbar und weit fliegen kannst, dadurch kannst du vieles sehen und verstehen, und alles was wichtig ist, weitersagen.» Doch Adele hatte Angst vor dem Fliegen, und noch immer wollte sie zuerst weisse Federn haben.

So kam es, wie es kommen musste. Irgendwann war sie für ihr Nest zu gross und zu schwer. Das Nest kippte. Unglücklicherweise stürzte Adele in die Richtung, in der es steil zum Tal hinunter ging.

In Ihrer Verzweiflung begann sie heftig mit den Flügeln zu schlagen. Sie geriet in Panik.

Genau in dem Moment kam der Adler und rief ihr zu: «Lass dich vom Wind tragen!» Zum ersten Mal hörte die junge Frau zu und machte es dem Adler nach. Was für ein Gefühl. Sie konnte tatsächlich schweben, mit wenigen Flügelschlägen Kreise ziehen. Die freie Sicht ins Tal und dieses Gefühl vom Schweben waren unglaublich schön.

Doch bald wurde Adele müde und so führte sie der Adler zu einem Bergsee. Schon so lange hatte er auf diesen Augenblick gewartet.

Er flog mit ihr ganz nahe über den See und bat sie, hinunter zu schauen. Was sich da im See spiegelte, liess Adele fast abstürzen vor Schreck. Sie sah zwei Adler. Den grossen prächtigen neben ihr und einen ebenso schönen, ein wenig Kleineren, neben ihm. Erschöpft setzten sich die beiden auf einen Ast und endlich hörte Adele ihre Geschichte. Doch was noch viel wichtiger war; sie fühlte sich das erste Mal geborgen und zu Hause.

Nun wünschte sie sich, sie wäre etwas mutiger gewesen und hätte ihrem Adlervater schon viel früher zugehört. Auch wünschte sie sich, sie wäre nicht so eitel gewesen und hätte mit ihren braunen Flügeln fliegen gelernt, anstatt auf weisse zu warten, sich in ihrem Nest zu ängstigen und zu langweilen.

Doch jetzt war nicht die Zeit, um über verpasste Gelegenheiten nachzudenken. Ihr Vater wollte ihr ganz viel beibringen, ihr all seine Lieblingsplätze zeigen und zusammen mit ihr noch viel Neues erkunden.

Und die weisse Eule? Sie war schon alt und hatte schon vieles gesehen. Sie wusste, dass man nur genug Geduld haben muss und dass letztendlich alles genau so kommt, wie es kommen soll.

Nachdem sich Sonnja bei der Adlerfrau für die schöne Geschichte bedankt hatte, machte sie sich auf den Rückweg. Sie genoss den Duft der Nadelbäume, gönnte sich ein Fussbad in einem Fluss und war ganz eins mit sich und der Natur. Kurz vor dem Ziel erblickte sie eine kleine, etwas versteckte Lodge.

Dieser Ort strahlte eine ruhige Freude aus. Die Wirtin stand im Garten und goss die Blumen. Sie hatte ein wunderschönes, inneres Strahlen, welches sich auf die ganze Umgebung auszubreiten schien.

Natürlich wollte Sonnja von der Wirtin wissen, was ihr Geheimnis war. Weil gerade nicht viel Betrieb herrschte, setzte sich die Wirtin, Liliane, zu Sonnja auf eine Bank und erzählte ihr ihre Geschichte.

Die Mauer und die Blumen

Auch Liliane hatte als Kind das Gefühl, dass sie anders als die anderen war, doch woran das lag, wusste sie nicht. Das machte sie traurig.

Sie wollte doch einfach nur geliebt werden und dazu gehören. Hübsch sein, war ihr nicht so wichtig, doch es schien ein Kriterium zu sein, um dazuzugehören. Ständig fragte sie sich, ob sie zu dick oder nicht schön genug war.

Wie auch immer; sie gehörte halt nicht dazu und fand sich damit ab. Damit sie sich von diesem Thema ablenken konnte, kümmerte sie sich gerne um die anderen Alleingelassenen.

Manchmal machte das Spass und manchmal fühlte sie sich wie ein Ersatzmensch, eine Lückenbüsserin, denn kaum waren die anderen wieder versöhnt, brauchte es Liliane nicht mehr.

Einmal durfte sie einen ganzen Sommer lang Lückenbüsserin sein. Zu zweit ins Kino gehen, Kleider kaufen, Musik hören; diese Gemeinsamkeiten genoss sie sehr.

Doch dann kam wieder diese Trauer, umhüllte sie wie eine Mauer, vereinnahmte sie und hüllte alles Licht in Schatten. In solchen Momenten wollte sie gar nicht mehr leben.

Das Leben erschien ihr wie eine einzige Schwere, ein endloser Kampf. Kaum fühlte es sich an einem Ort gut an, brach an einer anderen Stelle wieder etwas auf. Sie wurde nie fertig und immer war da diese Mauer.

Doch eines Tages wuchsen Blumen, entlang dieser Mauer, über den Garten, direkt in die Freiheit.

Liliane entdeckte, dass sich Blumen überhaupt nicht um Mauern kümmerten. Sie machten sich keine Gedanken über ihre Farben oder Grösse, oder ob sie es je über die Mauer schaffen würden. Sie wuchsen und gediehen einfach.

Wenn die Sonne schien, genossen sie das Licht, wenn es dunkel wurde, schlossen sie die Augen zum Schlafen und wenn es regnete, versorgten sie ihr Wurzeln mit Wasser.

Natürlich verwelkten immer wieder welche, aber es wuchsen auch immer wieder viele nach. Nie fragten sie sich, wozu das alles gut sei, sie genossen einfach ihr Sosein und Dasein.

Sie liessen sich von den Menschen bewundern und zertrampeln, denn sie wussten, sie waren Vergissmeinnicht. Unsterblich. Nicht der Winter, nicht die Eiseskälte, gar nichts konnte sie vernichten, sie kamen immer wieder. Und was war schon Zeit? Auch die kommt immer wieder. So vergingen die Jahre, die Jahreszeiten wechselten sich ab, Liliane erlebte viele schwierige und viele schöne Zeiten.

Hochs wurden von Tiefs abgelöst und umgekehrt. Während sie auf ihr fliessendes Leben zurückblickte, sah sie, alles änderte sich immer wieder. Aus allem entstand Neues; mal Gutes, mal weniger Gutes. Dies bescherte ihr einen riesigen Erfahrungsschatz, welcher sich anhäufte und sich als wunderbares Geschenk entpuppte.

Plötzlich begann sie zu verstehen, dass es keinen Sinn machte, die Rädchen von einem Uhrwerk zu vergleichen, denn es ging nicht um die Rädchen, es ging um die Uhr. Es ging darum, in seiner Einzigartigkeit da zu sein und dazu zu stehen. Was nützte eine Schraube, welche sich wie ein Zahnrad benahm, wenn doch eine Schraube gebraucht wurde?

So konnte Liliane aufhören, sich zu überlegen, wozu sie auf dieser Erde war. Sie wusste jetzt; sie ist genau richtig, so wie sie ist. Nützlich, indem sie nicht versuchte, wie andere zu sein, denn es geht um das Zusammenspiel von Hell und Dunkel, von Gut und Böse, von Schwarz und Weiss, damit jeder für sich selbst herausfinden kann, wie das Spiel des Lebens funktioniert.

Sie realisierte; es geht nicht ums Gewinnen, es geht nicht darum, schneller oder besser zu sein, es geht einzig und allein darum, sich selbst zu sein.

Denn was nützen 100 wunderschöne, identische Nägel, wenn es keinen Hammer gibt?

So machte sie sich auf den Weg zu sich selbst und probierte alles aus. Allmählich verstand sie immer besser, warum sie mit den einen Menschen gerne zusammen war und mit anderen nicht. Es passte einfach nicht, so wie ein Hammer nicht in eine Besteckschublade passt.

Doch nun fragte sie sich: «Wenn ich zum Beispiel ein Hammer bin, wie weiss ich dann, welche Nägel wo einzuschlagen sind?»

Da lächelte Gott liebevoll auf sie herab und sprach: «Mach dir keine Sorgen mein Kind, du bist der Hammer, den Rest erledige ich.

Sei einfach in jedem Augenblick da, ganz bei dir, dann bist du automatisch bei mir. Nichts kannst du verpassen, nichts kann schief gehen und wenn doch, habe ich es vermasselt. Du bist «nur» der Hammer, hämmern tu ich.»

So kam es, dass Liliane, auf dem Weg zu sich selbst, diese wunderschöne kleine Lodge fand. Als sie den Garten, mit den vielen kleinen Mauern und den darüber wuchernden Blumen sah, wusste sie, sie war angekommen.

Das Pächterpaar war schon im Pensionsalter und überglücklich, dass sie endlich jemanden gefunden hatten, der ihnen bei der Arbeit half.

Von da an behandelten sie Liliane wie ihre eigene Tochter und nach ein paar Jahren vermachten sie ihr die kleine Lodge.

Während Sonnja gebannt zuhörte, verging die Zeit wie im Flug und es begann zu dämmern. Zum Glück war es nicht mehr weit bis zum Parkplatz, so erreichte sie ihr Auto gerade noch rechtzeitig vor Einbruch der Dunkelheit.

Zurück in ihrer Lodge, schrieb sie auch diese Geschichte auf, bevor sie sich, müde aber glücklich, ins Bett fallen liess.

Während der nächsten Tage fuhr Sonnja durch wunderschöne Landschaften, besuchte Canyons und Pueblos, Westerndörfer, Rodeos, beeindruckende Wasserfälle und Wüstenlandschaften. Sie sah und hörte so viel, dass sie vor lauter Eindrücke ganz vergass, ihre Geschichten aufzuschreiben.

Doch eine Geschichte hatte sie so beeindruckt, dass sie sich auch am Ende ihrer Amerikareise noch daran erinnern konnte.

Während ihrer Reise durch Colorado traf sie in einem kleinen Ferienresort auf Veronika. Die zwei waren sich auf Anhieb sympathisch und verabredeten sich zu einem gemeinsamen Nachtessen. Beim anschliessenden Schlummertrunk erzählten sie sich von ihren Leben und ihren Reiseerlebnissen.

Sonnja erfuhr, dass Veronika als Zoologin an verschieden Orten auf der ganzen Welt gearbeitet hatte. Zwischendurch nahm sie sich viel Zeit zum Reisen, um die Tiere in ihrer natürlichen Umgebung zu beobachten. So gab es kaum ein Tier, welches sie nicht kannte.

Auf Sonnjas Frage, welches Tier Veronika am meisten beeindruckt hatte, erzählte sie Sonnja die Geschichte vom Ameisenbären, welcher ihr kürzlich in Südamerika begegnet war.

Der Ameisenbär

Als Veronika auf ihrer Südamerikareise, östlich der Anden, das erste Mal einen Ameisenbären sah, musste sie schmunzeln. Mit seinem langen, dünnen Kopf, dem riesigen Körper und dem dicken Schwanz, sah er ziemlich anders aus als alle Tiere, welche sie bisher gesehen hatte.

Da sie noch nichts über Ameisenbären in der freien Natur wusste, begegnete sie ihm sehr vorsichtig.

Doch der Ameisenbär schien sich von ihr nicht stören zu lassen, egal wie nahe sie ihm kam. Er machte einfach sein Ding, suchte Ameisen und war zufrieden.

Irgendetwas an ihm faszinierte Veronika. Sie ging noch näher und sorgte dafür, dass der Ameisenbär sie sah.

Aufgeschreckt aus seinem Tun, schaute er Veronika an, spürte nach, ob Gefahr von ihr ausging, wandte sich ab und wieder seiner Ameisensuche zu.

Dies faszinierte und irritierte Veronika zugleich.

Wie konnte es sein, dass der Ameisenbär so wenig Notiz von ihr nahm, sich nicht irritieren liess, und einfach bei sich und seiner Futtersuche blieb?

Bei der nächsten Gelegenheit rief sie ihren ehemaligen Chef an und fragte ihn, was er über Ameisenbären wusste.

Dieser erzählte: «Ameisenbären funktionieren ganz einfach. Sie denken nicht wie Menschen. Sie sind immer nur mit einer Sache beschäftigt und das ausschliesslich. Das heisst, wenn sie auf Futtersuche sind, sind sie auf Futtersuche. Nichts kann sie davon abbringen, ausser sie fühlen sich ernsthaft bedroht.

Gleichzeitig sind sie Einzelgänger. Sie suchen sich nur eine Partnerin, wenn sie Nachwuchs zeugen wollen. Die Mütter tragen die kleinen neun Monate lang mit, danach gehen auch die Kleinen ihren eigenen Weg.

Damit sie aber trotzdem wichtige Dinge kommunizieren oder, wenn nötig, einander finden können, streichen sie ihre Duftmarkierung an Bäume. So markieren sie ihr Territorium oder lassen die anderen wissen, dass sie auf Partnersuche sind.»

Veronika bedankte sich für die Auskunft und hing noch eine Weile ihren Gedanken nach.

Irgendetwas zog sie nochmal zurück an den Ort, wo sie den Ameisenbären gesehen hatte. Plötzlich erschrak sie und bemerkte, dass der Ameisenbär neben ihr stand.

Wie konnte das sein? Woher wusste er, wo sie war und wie konnte er sie finden? Ob das ein Zufall war?

Da Veronika schon lange mit Tieren arbeitete, hatte auch sie einen Weg gefunden, um mit Tieren zu kommunizieren. Die Voraussetzungen dafür waren Respekt und gegenseitiges Einverständnis.

Also entspannte sich Veronika, atmete ganz tief in ihr Herz, schaute dem Ameisenbären in die Augen und begegnete ihm somit in seinem Herzen.

Als erstes empfand sie eine grosse Ruhe. Es war wunderbar, unendlich still und ein Gefühl von alles ist gut, so wie es ist.

Dieses Gefühl war überwältigend. Von dieser inneren Stille hatte sie schon gelesen, doch wie sie sich anfühlt, konnte sie sich bisher nur vorstellen. Doch jetzt, in diesem Moment, wusste sie es.

Eigentlich hatte es nichts mit Wissen zu tun, es war ein tiefes, wunderbares Gefühl, welches den Verstand ruhig werden und alle Gedanken und Sorgen verblassen liess.

Veronika versank ganz in diesem Augenblick. Plötzlich hörte sie in ihrem Inneren die Stimme vom Ameisenbären.

Er sprach: «Ich bin hier, um dich Ruhe und Urvertrauen zu lehren. Ich bin ein Wesen, das ganz einfach gestrickt ist. Ich tue immer genau das, was ich tue und mache mir keine Gedanken, was als nächstes kommt. Ich käme gar nicht erst auf die Idee, mir über etwas Gedanken zu machen, aber wie ich gehört habe, tut ihr Menschen dies fast ununterbrochen.

Ich stelle mir dies ziemlich anstrengend vor. Wieso soll ich mir Gedanken darüber machen, was kommt, wenn ich am Fressen bin? Wieso soll ich mir Gedanken darüber machen, wo ich mein nächstes Futter finde, wenn ich gerade keinen Hunger habe? Und wieso soll ich mir Gedanken machen, wie ich wegrenne, falls eine Bedrohung kommt?

Bevor ich weiss, wohin ich rennen soll, muss ich wissen woher die Bedrohung kommt. Erst dann weiss ich, welcher Fluchtweg mir zur Verfügung steht.

Hmm, ihr Menschen seid wirklich etwas verdreht. Wen kümmert es, wie viel Futter ich gestern fand, wenn ich heute Hunger oder eben keinen Hunger habe?»

Veronika spürte richtig, wie unverständlich das Benehmen der Menschen für den Ameisenbären war. Wie konnte es sein, dass der Ameisenbär sich überhaupt keine Sorgen machte?

Der Ameisenbär sprach weiter: «Wenn ich mir Sorgen machen würde, dann höchstens über das achtlose Verhalten der Menschen, welche, nebst Waldbränden, unsere grössten Feinde sind. Sie verwenden uns Tiere als Nahrung oder überfahren uns achtlos mit ihren schnellen Autos. Auch Wilderer, welche einfach aus Spass töten, oder auf unsere Felle aus sind, tragen dazu bei, dass es von uns immer weniger gibt.

Doch wir lassen uns auch davon nicht aus der Ruhe bringen. Wir gehen unseren Weg, tun unser Ding, freuen uns über alles was da ist, und irgendwann gehen wir ins Herz vom Grossen und Ganzen zurück. Ihr Menschen nennt das Sterben und Tod.»

Somit war wohl alles gesagt, denn der Ameisenbär drehte sich um und lief gemächlich davon.

In Veronika war es noch immer ganz still. Die Ruhe und Selbstverständlichkeit, welche der Ameisenbär ausstrahlte und kommunizierte, berührte sie tief.

Plötzlich wurde ihr klar; das ist Urvertrauen.

Er vertraute darauf, dass er immer das fand, was er brauchte. Wenn es Zeit zum Sterben war, dann war sterben das, was seine Seele brauchte, um sich vom irdischen Leben zu erholen.

Er wusste nichts von einem anerzogenen Selbst, er wusste nicht was man tut oder nicht tut. Er wusste, wann er Hunger hatte, wusste, wo er Nahrung fand, legte sich hin, wenn sein Körper Schlaf brauchte, zeugte Kinder, wenn es Zeit dafür war und eine Ameisenbärin ihn rief.

Das war Urvertrauen, Sein im Hier und Jetzt, ohne Wenn und Aber. Unterwegs mit der eigenen Natur, geführt von der Urquelle.

Nachdem Sonnja eine Weile über diese Geschichte und ihre Gespräche mit Veronika nachgedacht hatte, spürte sie, dass es sie weiter zog. Es war an der Zeit, ihre nächste Reisedestination in Angriff zu nehmen. Am nächsten Tag buchte sie einen Flug nach Südafrika.

Afrika

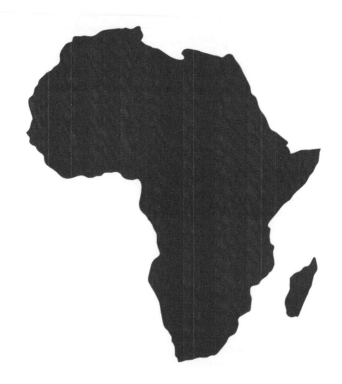

Der Flug und der Boardservice waren gut, das Personal nett, trotzdem war Sonnja froh, als sie nach gut 18 Stunden das Flugzeug in Durban wieder verlassen konnte.

Da sie ihr Zimmer für die ersten zwei Nächte bereits gebucht hatte, brauchte sie sich nur noch vom Shuttlebus zum Hotel fahren zu lassen.

Nach dem Abendessen studierte sie eine Weile den Reisführer, bevor sie tief und fest einschlief.

Als sie am nächsten Morgen aufwachte, war es noch viel zu früh zum Aufzustehen, so nutzte sie die Zeit, um sich auf die Stadtbesichtigung vorzubereiten.

Sie las, die Küstenstadt Durban sei für ihre afrikanischen, indischen und kolonialzeitlichen Einflüsse bekannt. Doch als Erstes wollte Sonnja an die Küstenpromenade, welche für die Fußballweltmeisterschaft 2010 runderneuert wurde.

Das Shaka Marine World, ein riesiger Freizeitpark mit Aquarium, und das futuristische Moses-Mabhida-Stadion, besichtigte sie nur von aussen. Dafür nahm sie sich viel Zeit, um sich im botanischen Garten die vielen afrikanischen Pflanzenarten anzusehen.

Am Abend kaufte sie sich für den nächsten Tag ein Busticket Richtung Santa Lucia, in der noch wundervoll ursprünglichen Provinz KwaZulu-Natal. Dort quartierte sie sich in einem kleinen, wunderschönen Gästehaus mit Garten und Außenpool ein.

Nach einem ausgiebigen Bad im Pool legte sie sich auf einen Liegestuhl unter Palmen und liess den Tag ausklingen.

Die nächsten Tage machte sie, nach einem jeweils ausgiebigen Frühstück auf der Terrasse, diverse Ausflüge mit dem Fahrrad.

Sie genoss das bunte Treiben in der Stadt und die unendliche Weite und Kraft des Ozeans, welche sie bei ihren täglichen Strandspaziergängen genussvoll in sich aufnahm.

Doch schon bald zog es sie weiter in ein kleines, nahegelegenes Wildtierreservat.

Dort bezog sie ein Zimmer in einer Safari Lodge. Die Ausflüge in die Tierwelt und die Farben der afrikanischen Natur waren einfach überwältigend schön. Doch wünschte sich Sonnja, sie könnte mit den Tieren näher in Kontakt kommen.

Und dann, in einem Augenblick, als sie die Hoffnung schon fast begraben hatte, begegnete ihr, gleich hinter der Lodge, der Elefant Rudi.

Sogleich spürte sie, wie sich ihr Herz diesem wunderbaren Tier öffnete. Dies wiederum spürte der Elefant. Er erzählte ihr vertrauensvoll die Geschichte von seinem Urgrossvater, dessen Freund dem Riesen und diesem kleinen Ort, wo sich Sonnja gerade befand.

Hegar und Rudi

Im Wald, in der Nähe dieses kleinen Dorfes, wohnte vor langer Zeit ein Riese mit riesig grossen Füssen. Diese machten dem Riesen, Hegar, Angst. Nicht weil die Füsse nicht zu ihm gepasst hätten, das war es nicht. Böse waren sie auch nicht. Die Füsse waren auch nicht zu gross für einen Riesen. Aber immer wieder trampelte Hegar damit irgendwo rein oder drauf, das machte ihn unglaublich müde.

Er wollte doch nur in Ruhe Riese sein dürfen, aber immer wieder brachten ihn diese Füsse in unangenehme Situationen. Und das war es, was ihm Angst machte.

Am Rande des Waldes, beim Dorfeingang, wohnte der Elefant Rudi mit dem grossen Rüssel. Rudi Rüssel, wie Hegar ihn heimlich nannte, machte ihm keine Angst. Er sah, dass Rudi im Grunde ein feinfühliger, verlässlicher Kerl war, welcher niemandem etwas zuleide tat.

Doch genau wie der Riese Hegar, hatte auch der Elefant Rudi, Mühe mit seiner Grösse. Manchmal wünschten sich die beiden, sie könnten sich irgendwo verstecken, doch sie konnten sich nicht klein machen und im Grunde wollten sie dies auch gar nicht.

So war guter Rat teuer. Dazu kam, dass Rudi an einen losen Baumstamm angekettet war und glaubte, damit nicht weglaufen zu können. Der Riese war stark, er könnte den Baumstamm mit Leichtigkeit wegtragen. Doch Rudi dachte, es wäre seine Strafe, dort angebunden zu sein.

Wofür wusste er selbst nicht. Dies machte ihn mal wütend, mal traurig, doch komischerweise fühlte er sich angebunden sicher. Alle wussten, was auch immer passierte, der Elefant war unschuldig, hatte nichts getan, konnte er ja gar nicht, denn er war ja angebunden. So war Rudi in Sicherheit, vor den

Anschuldigungen der Menschen, vor sich selbst und vor seiner Kraft.

Doch dann passierte die grosse Katastrophe. Eines Morgens brannte es heftig im Dorf. Alle gerieten in Panik. Der Elefant wusste, wenn er jetzt nicht losrannte, verlor er seine ganze Kraft, weil er im Feuer sterben würde. Sein Überlebenswille wurde so stark, dass Rudi den Baumstamm an seinem Fuss vergas und einfach losrannte.

Er rannte zum Wasserloch, füllte seinen Rüssel mit Wasser, rannte zurück ins Dorf, und half beim Löschen.

Als sein Besitzer sah, dass der Baumstamm den Elefanten nicht mehr aufhielt, aber beim Löschen behinderte, öffnete er die Kette und entliess Rudi in seine Freiheit und in seine Kraft.

Auch der Riese hatte ein schönes Erlebnis. Die Dorfbewohner merkten, dass er mit seinen grossen Füssen viel schneller laufen konnte als alle anderen, und Wunder oh Wunder, sie schienen plötzlich keine Angst mehr vor ihm zu haben. Im Gegenteil, sie entdeckten plötzlich den Nutzen seiner grossen Füsse.

In ihrer Not kletterten sie drauf, klammerten sich an seine Beine und verkrochen sich in seinen Haaren. Hegar sammelte alle Dorfbewohner auf und brachte sie in den Wald.

Irgendwann war das Feuer gelöscht. Die Dorfbewohner bedankten sich bei Rudi und Hegar und gingen wieder zurück in ihr Dorf.

Doch konnten sie sich nun gegenseitig vertrauen? Wer weiss. Denn immer wieder konnte es vorkommen, dass der Elefant im Porzellanladen eine Tasse zerschlug oder der Riese mit seinen Füssen unabsichtlich etwas zertrampelte. Wie sollten sie mit diesen Tatsachen umgehen?

Den Riesen zog es zurück ins Riesenland, obwohl er dort eigentlich nicht dazugehören wollte. Er hatte zu viele Geschichten über böse und gemeine Riesen gehört.

Der Elefant ging zurück zu seiner Herde und verbrachte viel Zeit mit seiner Familie. Mit der Zeit verstand er, warum seine Mutter oft ein wütender Elefant und sein Vater oft ein schwacher, müder Elefant war.

Er merkte, dass beide nicht gelernt hatten, mit ihrer Kraft konstruktiv umzugehen. So konnten sie dies auch ihrem Sohn nicht beibringen.

Und der Riese? Dieser lernte von einem weisen Zauberer, seine Kraft achtsam zu nutzen und zu schätzen. Dieses Wissen gab er an Rudi weiter.

Nachdem die zwei herausfanden, dass, wenn man etwas weiss, es noch lange nicht heisst, dass man es auch umsetzen kann, trafen sie sich regelmässig, um gemeinsam Achtsamkeit zu üben.

Die Menschen vom Dorf holten den Riesen und den Elefanten immer wieder gerne, wenn sie Hilfe brauchten.

Aber auch sie hatten inzwischen etwas dazu gelernt. Es war nicht nur in der Verantwortung von Hegar und Rudi, sich ihrer Wurzeln bewusst zu sein und achtsam mit ihren Stärken und Schwächen umzugehen. Auch die Dorfbewohner mussten wissen, dass der Riese immer seine grossen Füsse mitbrachte und der Elefant immer etwas ungelenk war, doch mit etwas Achtsamkeit und Wohlwollen war vieles möglich.

Das Vertrauen der Menschen hatten sich die zwei schon längst verdient. Ob Hegar und Rudi jemals lernten, sich selbst zu vertrauen, das wusste leider niemand.

Am nächsten Tag beteiligte sich Sonnja an einem Ausflug zu einem geschützten Ort, wo man picknicken und Wildgänse beobachten konnte.

Die Wildgänse hatten sich schon längst an die Touristen gewöhnt und freuten sich immer, wenn welche zum Picknick kamen, denn meistens gaben sie ihnen etwas von ihrem Brot ab.

Während Sonnja ihr Brot mit einer besonders zutraulichen Wildgans teilte, wurde ihr bewusst, dass auch diese bereit war, ihr eine Geschichte zu erzählen. So öffnete Sonnja ihr Herz noch etwas mehr und lauschte gespannt ihrer Erzählung.

Die Gans mit dem Knoten im Hals

Es war einmal eine Gans, Nina, die hatte einen fürchterlichen Knoten im Hals. Sie dachte, sie hätte den schon immer gehabt. Manchmal störte er sie, manchmal aber auch nicht, sie hatte sich schon lange daran gewöhnt.

Doch dann kam ein langer, kalter Winter, fast alle Gänse begannen zu husten. Dieser Husten machte Gans Nina ziemliche Probleme, denn stellt euch mal vor, wie es ist, mit einem Knoten im Hals zu husten.

Die anderen Gänse begannen sich einmal mehr zu wundern, woher dieser Knoten kam und warum niemand etwas dagegen unternahm. Auch Nina hätte dies gerne gewusst und suchte sich daher immer wieder Hilfe. Leider konnte ihr niemand helfen, so hustete und würgte sie weiter.

Eines Tages watschelte eine Gänsefrau freudestrahlend auf Nina zu und sprach sie an. Sie sagte: «Du bist bestimmt Nina, ich habe dich gleich an deinem Knoten im Hals erkannt.» Als Nina die Gänsefrau erstaunt anschaute, erklärte diese: «Ich bin Frau Müllergans, die ehemalige Nachbarin deiner Grossmutter. Ich kann mich noch gut erinnern, wie du sie jeweils besucht hast. Wir hatten immer Mitleid mit dir, weil du mit dem Knoten im Hals so komisch gewatschelt bist, denn der Knoten hat dich zu Beginn ziemlich aus dem Gleichgewicht gebracht», lachte Frau Müllergans.

Dieser Satz machte Nina hellhörig und sie fragte: «Habe ich denn diesen Knoten im Hals nicht schon immer gehabt?»

Wieder lachte Frau Müllergans und sprach: «Nein nein, mein liebes Kind, bei deiner Geburt warst du ein ganz normales, fröhliches Gänsemädchen. Niedlich zum Anbeissen. Aber bald haben die anderen Gänse gemerkt, dass man dich so richtig schön ärgern kann. Sie hänselten dich, lachten über dich und waren manchmal richtig gemein. Sogar deine Gänsemutter musste lachen, wenn du dich so richtig ärgertest. Leider merkte niemand, wie traurig du hinter deiner Wut warst. Manchmal bist du fast geplatzt vor Wut, aber du wolltest niemanden anschreien, so hast du dir lieber selbst in den Schwanz gebissen.

An einem dieser Tage bist du in deiner Wut schnell davonge-watschelt. Du wolltest dir gerade in den Schwanz beissen, damit du nicht schreien musst, da passierte es. Du bist gestolpert und einen Hang hinunter gerollt,

Niemand wusste genau, was passierte, doch seitdem hast du diesen Koten im Hals. Deine Eltern gingen mit dir zum Arzt, aber du wolltest nicht, dass er dir den Knoten löst. Du fandest ihn insgeheim praktisch, denn jetzt konntest du nicht mehr schreien, und so musstest du dir auch nicht mehr in den Schwanz beissen.»

Nachdenklich verabschiedete sich Nina von Frau Müllergans. Wie konnte Nina dies vergessen? Plötzlich fiel es ihr wieder ein, als ob es gestern gewesen wäre. Alle hatten sie geärgert und wenn sie dann wütend und traurig war, wollte niemand mehr mit ihr spielen. Nina dachte immer, sie wäre selbst schuld.

Inzwischen hatte sich vieles im Leben von Nina verändert. Zu den meisten Gänsen, welche sie früher geärgert hatten, hatte Nina keinen Kontakt mehr, denn sie hatte sie inzwischen durch-schaut. Sie hatte gemerkt, dass nur unsichere und traurige Gänse gemein waren. Sie hatte verstanden, dass andere ärgern ein Zeichen von Schwäche, und nicht wie sie früher geglaubt hatte, eine Stärke war.

So war ihre Wut mit den Jahren verflogen, nur der Knoten im Hals blieb und machte sich immer wieder unangenehm bemerkbar.

Was ihr vom Gespräch mit Frau Müllergans auch noch in Erin-nerung blieb, war, dass ihr Gänsekinderarzt ihren Hals wieder richten wollte. Sie erinnerte sich noch an seine Praxis und machte sich voller Hoffnung auf den Weg. Als sie in der Praxis ankam, sagte man ihr jedoch, der Arzt war wirklich ein Halsspezialist, doch inzwischen leider verstorben. Enttäuscht und mit hängendem Kopf ging Nina nachhause. Immer fühlte sie sich, als hätte sie den Kopf in der Schlinge, als würde sie nächstens für irgendetwas gehängt, dabei hatte sie doch gar nichts getan. Aber vielleicht war ja genau das das Problem. Vielleicht sollte sie endlich einmal etwas Ungewohntes tun, wie zum Beispiel ins Yoga gehen oder ein Bild malen.

Sie wollte auch schon seit langem eine persönliche Erfolgsliste erstellen, in der sie alles aufschrieb, was sie im Leben gut gemacht hatte und welche Gänse Nina wirklich lieb hatten.

Sie hatte schon viele Bücher gelesen, in denen solche Dinge empfohlen worden sind, doch noch nie war es ihr in den Sinn gekommen, dies tatsächlich umzusetzen.

So besuchte sie als erstes eine Yogastunde. Glaubt ja nicht, dass das einfach war mit einem Knoten im Hals. Nina hatte ja sowieso schon Mühe mit dem Gleichgewicht und zudem kriegte sie bei Anstrengung nicht genug Luft.

Nina schämte sich die ganze Stunde ein wenig, weil sie so ungeschickt war. Die anderen schien dies überhaupt nicht zu stören, niemand hatte über sie gelacht. Das machte Nina glücklich und gab ihr Mut. So entschied sie sich, noch ein paar Yogastunden zu besuchen.

Auch das Erstellen der Erfolgsliste machte sie glücklich. Am Anfang fand sie kaum etwas, was sie aufschreiben konnte, doch je länger sie schrieb, desto mehr kam ihr in den Sinn. Die Liste wurde richtig lang.

Nun setzte Nina noch eins obendrauf und besuchte einen Meditationskurs. Bei der Meditationsreise zum Thema Angst fand Nina heraus, dass ein Teil von ihr noch immer Angst hatte, andere Gänse aus unkontrollierter Wut zu beissen. In der Meditation lernte sie, diesem wütenden Anteil mit Liebe zu begegnen und ihn so zu heilen.

Kurze Zeit später passierte etwas Wundervolles. Nina war

in der Yogastunde, machte zusammen mit den anderen ihre Übungen und plötzlich ertönte ein ungewöhnliches, ploppendes Geräusch. Nina wurde es ganz schwindlig. Alle drehten sich nach ihr um, um kurz darauf zu klatschen und zu jubeln. Der Knoten von Ninas Hals hatte sich gelöst.

Ob es damit zusammenhing, dass es in Nina nun keinen wütenden Anteil mehr gab, welcher Angst davor hatte, andere Gänse zu beissen? Wer weiss.

Doch wenn ihr einer Gans begegnet, welche ihren Hals stolz gerade hält und übers ganze Gesicht strahlt, dann ist das bestimmt Nina.

Weil Sonnja diese Geschichte so gut gefiel, erzählte ihr die Wildgans auch noch die Fortsetzung dieser Geschichte.

Nina und der Elefant mit dem Knoten im Rüssel

Wie ihr wisst, war Nina nun endlich von ihrem Knoten im Hals befreit und freute sich sehr darüber. Seither begegnete sie immer wieder Tieren, welche ähnliche Probleme hatten. Gerne versuchte sie, allen zu helfen.

Eines Tages bekam sie Besuch von Roger, dem Elefanten, welcher einen Knoten im Rüssel hatte. Schnell stellte sich heraus, dass Yoga sich nicht für Elefanten eignete, und Fitness und Beweglichkeit auch nicht so Rogers Ding waren. Deshalb empfahl ihm Nina eine Meditationsgruppe. Doch auch da gab es ein Problem. Da Roger während der Meditation immer wieder einschlief, und wegen dem Knoten im Rüssel furchtbar schnarchte, fühlten sich die anderen Teilnehmer gestört. Meditation half Roger also auch nicht.

Da erinnerte sich Nina, dass ihr lange nichts half, weil sie im Unterbewusstsein noch immer Angst hatte, andere vor Wut zu beissen. Der Knoten im Hals diente ihr als Schutz.

So versuchte sie, zusammen mit Roger herauszufinden, was denn sein Nutzen vom Knoten in seinem Rüssel war.

Roger erzählte Nina von seiner Kindheit. Diese war nicht immer toll, aber auch nicht schlecht. Aus Rogers Sicht gab es dort nichts zu heilen. Sein Leben im Hier und Jetzt war nicht aufregend, doch Roger gefiel es so, wie es war.

Er hatte genug Geld, eine liebe Familie, eine schöne Wohnung und somit ein sicheres Dach über dem Kopf. Und doch, neben dem Knoten im Rüssel, hatte er oft Rückenschmerzen und manchmal konnte er nicht gut hören, denn immer hatte er in seinen Ohren ein Rauschen.

Zum einen war dieses Rauschen äusserst unangenehm, zum anderen half es ihm dabei, sich abzugrenzen und nicht mehr alles hören zu müssen, was an ihn gerichtet war. Diese ewigen

Apelle, was er tun sollte oder eben nicht, waren ihm schon lange zuviel.

Es war wie eine riesen Last, welche an seinem Rücken klebte und ihn wissen liess, was immer er auch tat, es war nie genug. Denn entweder erfüllte er die Bedürfnisse seiner Frau, seiner Kinder, Nachbarn, Schwiegereltern und wer da sonst noch war, oder er hatte das Gefühl, er sei nicht gut genug.

Da half es auch nicht, wenn ihm seine Frau sagte, er müsse endlich mal an sich denken, endlich mal etwas tun, was ihm Spass macht, denn ganz ehrlich und unter uns; das war es ja gerade, was der Elefant vergessen hatte. Zu spüren, was genau er wollte.

Im Grunde hatte ihn sein ganzes Leben lang nie jemand gefragt, was er denn selbst wollte. Ihm kam es auch nie in den Sinn, sich selbst danach zu fragen, denn das Leben funktionierte ja. Was wollte man mehr?

Es gab schon Dinge, welche Elefantenmänner gerne taten, einige davon machten Roger auch Spass. Er fühlte sich dabei eine Weile besser, doch spätestens, wenn ihm der Rücken weh tat und die Ohren rauschten, stank es ihm gewaltig, er konnte sich selbst nicht mehr riechen.

Nina hatte Roger genau zugehört und sich alles aufgeschrieben. Konnte es sein, dass Roger einen Knoten im Rüssel hatte, weil er sich manchmal selbst nicht riechen konnte?

Konnte es sein, dass das Rauschen in seinen Ohren daher kam, dass er all die Ansprüche, vor allem seine eigenen Ansprüche an sich selbst und die des allen genügen Wollens, nicht mehr hören wollte?

Und dann war da noch die unsichtbare Last, welche er auf seinen Schultern trug und ihm den Rücken schwächte. Denn jemand der allen half, übernahm oft unbewusst auch deren Probleme.

Als Nina Roger dies alles erklärte, antwortete dieser resigniert, das wisse er doch alles selbst, er wisse nur nicht, was er dagegen tun könne. Mit diesen Worten verliess er mit hängenden Schultern die Wohnung von Nina.

Nina war etwas traurig, dass sie dem Elefanten nicht helfen konnte, doch aus eigener Erfahrung wusste sie, jeder kann sich letztendlich nur selbst helfen.

Nun spürte Nina einen Schmerz in ihrem Rücken. Ihr wurde schnell klar, dass sie gerade dabei war, sich Rogers Last auf ihre Schultern zu laden.

Natürlich wusste sie, dass dies Roger nicht half, denn er musste in seine Selbstverantwortung gehen.

Als sie das Wort Selbstverantwortung in ihren Gedanken hörte, ging ihr ein Licht auf. Selbstverantwortung hatte etwas damit zu tun, sich selbst und dem eigenen Leben zu antworten, doch dies fiel den meisten Menschen schwer.

Es war viel einfacher, das zu tun, was andere von einem wollten und darauf zu antworten, als für sich herauszufinden, was man selbst wollte.

Wärend sie darüber nachdachte, wie sie Roger, dem Elefanten, helfen könnte, bemerkte sie, dass ihr Nachtessen in der Pfanne anbrannte und dass sie nicht wusste, ob sie die Kartoffeln schon gesalzen hatte oder nicht.

Dafür hätte sie jetzt Roger die Schuld in die Schuhe schieben können, denn schliesslich hatten die Gedanken an ihn dazu geführt, dass sie nicht bei der Sache war.

Doch wie war das nochmal mit der Selbstverantwortung? Und wieder ging Nina ein Licht auf. Während sie über die Probleme von Roger nachdachte, war sie in Gedanken nicht bei sich und ihrer Arbeit, und somit nicht bei dem, was sie tat.

Das war ja spannend. Hiess das, wenn man anderen zuviel half, oder über ihr Leben nachdachte, dass man dann die eigenen Angelegenheiten aus den Augen verlor? Konnte es sein, dass man darum immer einem anderen die Schuld am eigenen Schicksal gab, weil man in Gedanken nicht aufmerksam bei der eigenen Sache war? Ob all diesen Gedanken wurde Nina müde. Sie ass, was von dem angebrannten Essen noch essbar war, danach legte sich schlafen. Morgen war ein neuer Tag, es gab neue Begegnungen und wieder viel Spannendes zu lernen.

Und was war mit Roger? Wer weiss, kommt Zeit kommt Rat.

Roger wird noch vielen verschieden Tieren begegnen, alle werden ihm etwas spiegeln, etwas aufzeigen oder ihn etwas lehren. Genauso wie er dies täglich, bewusst oder unbewusst, für andere tat. Dabei wird auch ihm immer wieder ein Licht aufgehen. Das wusste Nina ganz sicher.

In Gedanken noch ganz versunken in die Geschichte, realisierte Sonnja, dass ihre Reisegruppe zum Bus zurückgekehrt war und ungeduldig auf sie wartete.

Sonnja bedankte sich eilig bei der Gans und winkte ihr zum Abschied nochmal zu, dann stieg sie in den Bus.

Sonnja wusste nie, wieviel von ihren Erlebnissen sie ihren Mitmenschen erzählen konnte. Wer würde ihr glauben, dass sie mit Tieren sprechen kann?

Was sie aber immer wieder gerne erzählte, war, dass sie auf der Suche nach aussergewöhnlichen Geschichten war, welche die Essenz der Leichtigkeit des Seins widerspiegelten.

Daraufhin gab ihr jemand den Rat, sie solle den Ranger fragen; dieser hätte bestimmt schon viel erlebt und daher sicher ein paar gute Geschichten auf Lager.

Nach dem Essen machten es sich alle am Lagerfeuer gemütlich. Der Zufall wollte es, dass der Ranger sich neben Sonnja setzte, denn er spürte, dass von ihr eine besondere Energie ausging.

Obwohl er nicht wissen konnte, dass Sonnja, genau wie er auch, mit den Tieren kommunizieren konnte, spürte er doch eine vertraute Gemeinsamkeit.

Also fragte er Sonnja nach ihrem Leben, ihren Hobbies und so landeten sie bei den Geschichten. Als der Ranger, John, das hörte, musste er lachen, denn auch er hatte schon lustige Geschichten von und über Tiere gehört. Zum Beispiel die, in der ein einziges Stachelschwein mit seinen Stacheln eine ganze Horde Löwen verscheucht hatte. So wurde er zum ersten Mal auf die Stachelscheine aufmerksam und begann sie zu studieren.

In dieser Zeit kam ihm folgende Geschichte zu Ohren:

Das Stachelschwein

In einem wunderschönen Wald, gar nicht einmal so weit weg von hier, lebte das Stachelschwein Regula. Regula war nicht so klein wie andere Tierkinder, im Gegenteil, sie war gross.
Alle konnten sie sehen. Dies verunsicherte sie so sehr, dass sie immer wieder ungeschickte Dinge sagte und tat, was dazu führte, dass sie sich selbst nicht mochte.
Denn mal ehrlich, wer wollte schon ein Stachelschwein sein, und auch noch gross? Kleine Tiere wirkten immer irgendwie niedlich, aber grosse, runde, mit Stacheln?
So haderte das Stachelschwein Tag für Tag mit seinem Los. Da es so unzufrieden und unglücklich mit seinem Dasein war, strahlte es dies auch aus. Sogar wenn jemand wirklich nett mit ihm war, traute es dieser Sache nicht, und kehrte dem netten Wesen den Rücken zu.
Aber warum eigentlich? Warum traute es niemandem? Das war nicht immer so. Grundsätzlich sind Stachelschweine nette, vertrauenswürdige, und vor allem interessierte, neugierige Wesen. Sie wühlen gerne in der Tiefe und graben alles aus, was ihnen unter die Pfoten kommt. So finden sie ihr Essen, manchmal aber auch Dinge, welche anderen gehören. Dinge, welche andere Wesen absichtlich versteckt hielten.
So zum Beispiel das Eichhörnchen Susi. Es versteckte während des Sommers seine Nüsse, damit es über den Winter genügend zu fressen hatte. Da das Eichhörnchen ganz viele Verstecke hatte, und mitunter sogar selbst vergass, wo überall die Verstecke waren, war es nicht so schlimm, wenn das Stachelschwein eines fand und den Inhalt frass. Anders war es bei der Elster Rita. Die stahl alles was glänzte und ihr gefiel, auch wenn sie die Dinge gar nicht gebrauchen konnte. Sie wollte sie einfach nur horten.
Der Wald grenzte an ein Dorf. Die Menschen dort waren

friedlich und lieb, schätzten den Wald und die Tiere und die Tiere schätzten die Menschen. Regelmässig veranstalteten diese im Wald ein Picknick, dabei blieben nicht selten viele kleine Leckereien für die Tiere übrig.

In letzter Zeit waren die Menschen aber etwas nervös. Dem einen wurde eine Uhr gestohlen, einem anderen eine wertvolle Kette. Immer wieder verschwanden Dinge.

Die Menschen fürchteten, im Wald lebe ein Dieb. Immer öfter kamen sie mit Gewehren in den Wald, um den Dieb zu fangen.

Keiner dachte daran, dass es die diebische Elster war, welche sich alles schnappte, was ihr unter den Schnabel kam, wenn es nur schön glänzte.

So kam es, dass sich ein Jäger, auf der Suche nach dem Dieb, plötzlich Auge in Auge mit dem Stachelschwein befand. Da das Stachelschwein Regula wusste, dass der Jäger den Dieb suchte, ging es vertrauensvoll auf den Jäger zu. Es wollte ihm helfen und ihm das Versteck der Elster, welches es schon lange gefunden hatte, zeigen.

Doch weit gefehlt. Als Regula auf den Jäger zukam, packte dieser seine Flinte. Logischerweise bekam Regula Angst, drehte sich um und eilte davon. Weil Stachelschweine in der Not ihre Stacheln, wie kleine Speere, fliegen lassen, flogen diese dem Jäger, welcher sich auf den Bauch geworfen hatte, direkt ins Gesicht.

Sicher könnt ihr euch denken, wie weh das tat und wie sehr er sich darüber ärgerte. Nicht nur ist ihm das Stachelschwein durch die Latten gegangen, nein, nun sah er auch noch selbst aus wie eines.

Als die Dorfbewohner ihn so sahen, mussten sie lachen. Dabei brauchte er doch Mitgefühl, jemanden, der mit ihm seinen Schmerz teilte und ihm die Stacheln sanft entfernte.

Leider war seine Frau schon lange gestorben. Seine Kinder lebten an einem anderen Ort und auch sonst war niemand da der ihn trösten konnte. So blieb ihm nichts anderes übrig, als sich die Stacheln selbst aus dem Gesicht zu entfernen. Dies tat höllisch weh. Während er litt und sich noch die letzten Stacheln aus seiner Gesichtshaut zog, schwor er Rache.

Ab jetzt ging es nicht mehr um den Dieb, oder die geklaute Uhr, ab jetzt ging es nur noch darum, dieses widerwärtige, dumme Stachelschwein zu jagen und zu töten. Und wenn es das Letzte war, das es in seinem Leben noch zu erreichen gab, dies wollte er unbedingt tun.

Zum Glück gab es im Wald andere Tiere, welche Rita, mit ihrem weichen Herzen und ihrer Hilfsbereitschaft, kannten. Schon oft hatte sie verlorene Gegenstände gefunden. Sogar wenn sie Dinge fand, welche niemand vermisste, gab sie diese dem rechtmässigen Besitzer zurück.

Da das Stachelschwein nachtaktiv ist, wussten die meisten Tiere nicht, wieso ein verlorener Gegenstand plötzlich wieder aufgetaucht war.

Sie machten sich auch keine Gedanken darüber, sie nahmen die Dinge zurück und freuten sich.

Die Eule, welche den Wald nachts bewachte, wusste um das grosse Herz und um den Gerechtigkeitssinn von Rita. Sie wusste, dass diese niemals jemanden absichtlich verletzen würde. Nur hatte sie eben ein Problem. Wenn Stachelschweine Angst bekommen, drehen sie sich um, stellten ihre Stacheln auf und schiessen gleichzeitig einige ab. Dies ist ein natürliches Reaktionsmuster von Stachelschweinen.

Sollte Regula nun für ihre Angst und ihre natürliche Abwehrreaktion sterben müssen? Auch wenn die Eule meist sehr ruhig war, nicht viel sprach, sondern einfach nur beobachtete, spürte sie, dass sie diesmal eingreifen musste.

Sie holte sich Hilfe beim Fuchs. Dieser war zwar nicht der angenehmste Zeitgenosse, doch er war fair und vor allem schlau.

Nach langem Überlegen hatten sie eine geniale Idee.

Schon lange wollten sie der diebischen Elster einen Denkzettel verpassen und jetzt war der richtige Zeitpunkt gekommen.

In der nächsten Nacht schlichen die Eule und der Fuchs zum Versteck der Elster, schnappten sich leise ihre gestohlenen Schätze, und legten sie vor die Türe des Jägers.

Als der Jäger am nächsten Morgen in aller Frühe vor die Tür trat, um wieder das Wildschwein zu jagen, staunte er nicht schlecht. Vor seiner Türe lagen all die vermissten Gegenstände, inklusive der Uhr seiner verstorbenen Frau.

Völlig ausser sich vor Freude und Erstaunen rief er alle Nachbarn zusammen und erzählte ihnen von seinem Glück.

Manch einer wollte ihm nicht recht glauben, dass er den Schatz nur gefunden hatte. Vielleicht hatte er ihn ja selbst gestohlen und jetzt ein schlechtes Gewissen bekommen?

Der Jäger beteuerte immer wieder seine Unschuld, aber beweisen konnte er sie nicht.

Wurde er jetzt plötzlich vom Opfer zum Täter gemacht? Konnte es sein, dass es dem Stachelschwein auch so erging? Hatte es sich vielleicht wirklich nur erschrocken und ihn darum mit Stacheln übersät?

Er wusste es nicht, doch er entschied sich, das Stachelschwein in Zukunft in Ruhe zu lassen und sich über die wiedergefundene Uhr zu freuen.

Und das Stachelschwein? Es freute sich gerade unglaublich. Nie hätte es gedacht, dass es Freunde hatte, welche ihm so etwas Gutes tun würden.

Sonnja war ganz begeistert von dieser Geschichte und bat John, ihr noch eine zu erzählen.

Da es in Afrika viele Löwen gab, kannte John auch Löwengeschichten. Er erzählte Sonnja die Geschichte vom Löwen Hugo.

Hugo, der einsame Löwe

Der einsame Löwe Hugo wohnte mit seiner Familie in der Steppe der Kalahari. So gesehen war er gar nicht einsam, doch aus irgend einem Grund fühlte er sich einsam.

Sein Vater war König. Hugo würde dereinst sein Nachfolger werden und sein ganzes Vermächtnis erben.

Doch wollte er das überhaupt? Er wurde nie danach gefragt. Obwohl er seinen Vater sehr mochte, bemängelte er, dass es dem Vater an Führungsstärke fehlte. Was war ein König ohne Führungsstärke?

Seine Mutter sagte, ein König müsse weise sein, doch war sein Vater weise? Wie wird man weise? War man weise, nur schon weil man als König geboren wurde? Und wie kam es, dass die anderen Tiere ständig seinen Vater um Rat fragten?

Wie konnten sie davon ausgehen, dass er um das Geheimnis des Lebens wusste?

Ehrlich gesagt, der Königssohn Hugo war sich da nicht so sicher. Und überhaupt, wie konnte man seinen eigenen Sohn Hugo taufen? Nur schon dieser Name war Grund genug, um nicht ernst genommen zu werden. In der Tierschule wurde er deswegen ständig ausgelacht.

Zuhause war er auch nie sicher, ob er ernst genommen wurde und ob ihn die anderen verstanden. Seine Mutter sagte stets; Hugo ist halt ein Sensibelchen. Dann lachte sie ihn weise an, doch er verstand das nicht.

War sensibel sein nun gut oder war es eine Strafe? Wurde er deswegen ausgelacht, weil er immer alles ernst nahm und daher nicht über die Witze anderer lachen konnte?

Manchmal gab ihm das Leben viele Rätsel auf, welche er beim besten Willen nicht lösen konnte. Er wollte aber alle Probleme gelöst haben, denn er dachte, wenn es allen gut ginge, gehe es ihm auch gut. Das war auch so, doch es verging kaum ein Tag, an dem niemand ein Problem hatte, mit anderen Worten; es ging nie allen gut.

Es war zum verrückt werden. Was musste oder konnte er tun, damit es allen gut ging?

Hugo verkroch sich gerne in eine Ecke und grübelte stundenlang, doch es half nicht, im Gegenteil, es machte ihn höchstens trübsinnig.

Auch der Neid der anderen, dass sein Vater König und Hugo der einzige Sohn war, trug nicht dazu bei, dass sich die Lage von Hugo entspannte.

Daher entschloss er sich, alles zu tun, um ja nicht aufzufallen. Er erledigte seine Aufgaben gut, achtete aber darauf, nie besser als die anderen abzuschneiden. Seine besondere Zauberenergie, welche er seit seiner Geburt besass, nutzte er nicht, denn er wollte nicht «bluffen.»

Er verstand zwar nicht, was damit gemeint war, wenn man ihm sagte, er «bluffe», wenn er alle seine Fähigkeiten nutzte. Doch offensichtlich war das etwas Unwillkommenes. Also gewöhnte Hugo sich an, sich wie alle anderen Tiere zu benehmen und wie alle anderen zu brüllen. Doch irgendwie erschien ihm das Leben sinnlos und langweilig.

Das machte ihm aber nichts aus, er war ja ein Löwe und die sind bekannt dafür, dass sie stundenlang schlafen können. Die Weibchen in seinem Revier beschafften Nahrung und sorgten für Ordnung im Innenbereich, sein Vater und seine Bediensteten achteten auf Ordnung im Aussenbereich. Was solls, dacht sich Hugo, mich braucht es ja gar nicht.

So machte er immer öfter ein Nickerchen ums andere, drehte sich von einer Seite auf die andere und liess die anderen Löwen ihr Ding durchziehen. Sollten sie doch machen und denken, was sie wollten; Hauptsache er wurde in seinem Schlaf nicht gestört. Komischerweise fühlte er sich, je länger er schlief, immer müder und müder. Es schien ihm bald, als ob er seine ganze Kraft den anderen abgegeben hatte. Oder wie kam es, dass sie den ganzen Tag lang Dinge tun konnten und er musste immer mehr und mehr schlafen?

Eines Tages erschien ihm im Traum eine Fee. Sie sprach: «He Faulpelz, willst du dein ganzes Leben verschlafen?» Hugo konnte sich in diesem Traum selbst zusehen. Er sah, wie er müde ein Auge öffnete und sprach: «Lass mich doch einfach in Ruhe.» Doch die Fee dachte nicht daran. Sie nervte ihn weiter und sprach: «He du Hugo, denkst du, du seist auf diese Erde gekommen, nur um zu lernen und zu schlafen?»

Langsam nervte ihn diese dumme Fee. Was wollte sie von ihm und überhaupt, was wusste die schon von seinem Leben?

Nun wurde die Fee zu einem wunderschönen, rosagelben Licht. Sie sprach: «Ich bin dein Seelenlicht, deine Seele, welche dich mit vielen Talenten, guten Ideen und Vorhaben auf diese Erde begleitet hat. Denkst du, es macht mir Spass, dir zuzuschauen, wie du dein Leben verschläfst und deine ganze Kraft im Schlaf verlierst?»

«Wie kann ich durch Schlafen meine Kraft verlieren?», erwiderte Hugo, doch er wusste, die Fee hatte recht, er wurde ja immer müder. Provokativ frage er die Fee nochmal: «Wie soll ich im Schlaf wohl meine Kraft verlieren?»

Die Fee sah ihn nachdenklich an und forderte ihn auf, aufzustehen. Das ging gerade nicht so schnell und nicht so gut, denn irgendwie waren seine Beine etwas eingeschlafen.

Dann flog sie los und befahl ihm, ihr zu folgen. Jetzt merkte Hugo erst, wie lahm seine Beine und wie dick sein Bauch geworden waren. Dachte die Fee wirklich, in diesem Zustand könne er rennen?

Die Fee sah ihn zugleich wütend und traurig an und erwiderte: «Dies ist die Antwort auf deine Frage, wie du im Schlaf deine Kraft verlieren kannst.» Nun war Hugo etwas beschämt.

Wie würde es wohl aussehen, wenn er in diesem Zustand als Nachfolger für seinen Vater vor sein Volk treten würde? Würden sie ihn respektieren? Wohl eher nicht.

Da die Fee Hugos Seele war, konnte sie seine Gedanken natürlich hören und erwiderte: «Weisst du, es kommt nicht darauf an, wie du heisst, wie du aussiehst oder ob du vier gesunde Beine hast. Hauptsache ist, du versuchst immer dein Bestes zu geben und resignierst nicht schon bei der kleinsten Hürde.»

Jetzt wurde Hugo wieder nachdenklich. Konnte es sein, dass die anderen Löwen ihn nur schon dadurch schwächen konnten, dass sie sich lustig über seinen Namen machten? Und wie kamen sie überhaupt dazu?

Die Fee erwiderte: «Die Gruppe sucht immer den Schwächsten im Glied. Meist ist dies nicht der Dümmste, oder der mit der schlechtesten Kondition, sondern derjenige, welcher am schnellsten in die Opferrolle geht.»

Autsch, das hatte gesessen. Natürlich wusste Hugo schon in der Schule, dass er einmal König werden würde.

Doch dann liess er sich von den anderen Tieren hänseln. Um nicht als Streber dazustehen, nutzte er seine Fähigkeiten nicht. Doch dies war auch wieder nicht recht; er wurde ausgelacht und galt plötzlich als dumm und faul. Wenn er sich dann ärgerte und um sich schlug, galt er als aggressiv und wenn er einfach nichts tat, als zu unfähig, um sein Leben selbst in den Griff zu bekommen.

Da sass er nun, auf der ganzen Linie ein Versager.

Als er das traurige, wenn nicht sogar verzweifelte Gesicht seiner Seelenenergie sah, bekam er ein ganz schlechtes Gewissen.

Er versicherte der Fee, es täte ihm wirklich leid, dass es so gekommen war.

Doch die Fee sah ihn nur böse an und sprach: «Und was tust du dagegen?» «Etwas dagegen tun?», fragte der Löwe. «Wie könnte ich, niemand kann aus seiner eigenen Haut schlüpfen.»

Doch die Fee liess nicht locker und liess Hugo dies genauer definieren. Je länger Hugo sprach, umso mehr verheddterte er sich in seinen eigenen Gedanken. Was genau war denn nun seine eigene Haut? Sein Name? Das, was die anderen von ihm dachten? Das, womit sie ihn beschimpften?

Zum ersten Mal begriff Hugo, dass er keine Ahnung hatte, wer er eigentlich war. So ging er nochmal über die Bücher. Er studierte alles über die Eigenschaften der Löwen. Er lernte, dass ein Löwe kurzzeitig sehr schnell rennen kann, aber gegen Tiere mit Ausdauer keine Chance hatte. Dass Löwen Rudeltiere waren, also nicht dazu gedacht sind, ein einsames Leben zu führen. Dass Löwen die Hitze nicht so gut ertragen und daher in der Nacht jagen.

Jetzt begann er plötzlich vieles zu verstehen. Er war nicht grundsätzlich unfähig, sondern einfach kein Langstreckenläufer. Er war kein schlechter Jäger, doch bei Tag zu jagen war nicht seine Zeit. Er überlegte sich, ob er sein Jagdglück heute Abend einmal ausprobieren sollte, doch da kam ihm sein dicker Bauch in den Sinn und er wollte den Gedanken schon wegschieben. Da sprach die Fee: «Siehst du, jetzt tust du es schon selbst. Du lässt dich gleich wieder in die Opferrolle fallen. Zum Jagdglück gehört nicht nur Schnelligkeit und Wendigkeit, es gehört auch Raffinesse dazu. Nur weil du einen dicken Bauch hast, heisst das noch lange nicht, dass du nicht geschickt bist.

Gewöhne dir an, deinem Verstand nicht mehr alles zu glauben. Werde trotzig und probiere alles aus, was du denkst, das du nicht kannst.»

Jetzt staunte Hugo nicht schlecht. Seine Seele rief ihn dazu auf, trotzig zu sein? «Ja», sprach das Seelenlicht, «Denn wie willst du herausfinden, wer du bist und was du kannst, wenn du dich ständig unterordnest?

Das Leben ist dazu da, um es auszuprobieren, um mit allen Gaben zu spielen, bis du herausgefunden hast, welches deine spezielle Gabe ist. Wie willst du dein Seelenlicht und deine Gabe leben, wenn du keine Ahnung hast, was es ist?»

Hugo wollte schon antworten, doch die Fee liess ihn nicht zu Wort kommen. Sie sprach: «Geh hinaus, spiele, tue alles was Freude macht und mache alles was Mut braucht. Ein Löwe kann sehr mutig sein, doch Mut muss trainiert werden, Mut fliegt einem nicht einfach zu.»

Plötzlich verstand Hugo, dass sensibel sein sowohl bedeuten konnte, sich schnell als Opfer zu fühlen, als auch zu spüren, was einem gut tut und was nicht. Diesen zweiten Aspekt wollte er nun trainieren. Er verstand jetzt, das mutig sein auch Ehrlichkeit bedingte, und dass man nicht alles können musste, um ein guter König zu sein.

Von nun an betrachtete er seinen Vater mit anderen Augen. Es brauchte bestimmt Mut, ein Volk zu leiten, ohne genau zu wissen, was alles passieren konnte.

Zum Glück war Hugo gerade noch rechtzeitig von seinem Seelenlicht geweckt worden. Sein Vater war noch in seiner Kraft und Hugo endlich dazu bereit, von ihm und mit ihm zu lernen und viel Neues zu entdecken.

Nun strahlte sein Seelenlicht plötzlich aus ihm heraus. Wie konnte das sein?

Die Seelenenergie sprach: «Jetzt macht es mir wieder Spass, nahe bei dir zu sein.» In diesem Augenblick spürte er endlich wieder die Zauberenergie, welche er sich früher nicht zu nutzen getraute. Endlich verstand er, woher diese kam. Es war die Energie seiner Seele.

Diese Geschichte erinnerte Sonnja ein wenig an ihr eigenes Leben. Früher hatte sie oft das Gefühl, dass niemand etwas mit ihrem Strahlen anfangen konnte, daher hielt sie es versteckt. Um ihr Strahlen verstecken zu können, musste sie aber ihr Herz verschliessen. Dies wiederum bedeutete, dass es dann auch für sie selbst verschlossen war.

Wenn sie dann müde und traurig war, glaubte sie, es sei die Schuld der anderen, doch im Grunde war es nur die Folge ihres verschlossenen Herzens.

Glücklich über die neuen Erkenntnisse und erschöpft vom langen Tag, legte sich Sonnja ins Bett und träumte einen faszinierenden Traum.

Das Dorf der weisen Drachen

In einem wunderschönen Drachendorf, an einem Ort, welcher für das menschliche Auge unsichtbar ist, wohnte das Drachenmädchen Lulu. Lulu wollte furchtbar gerne Feuer speien, aber alles was sie zustande brachte, war ein nerviges Husten. Nur manchmal, wenn sie nichts Böses dachte, kam plötzlich eine riesige Flamme aus ihrem Rachen. Das machte ihr Angst, denn diese Flamme konnte Tiere und Menschen sehr verletzten.

Lulu konnte sich nie entscheiden, ob sie das Feuerspeien anwenden sollte oder lieber nicht, denn sie wusste nie, was kam. Das Husten oder die riesige Stichflamme?

Wenn sie zuhause in ihrer Höhle übte, ging alles gut, sie hatte alles im Griff und konnte die Flamme gut dosieren. Doch kaum war sie mit anderen Drachen zusammen, geschah es immer wieder, dass sie nur ein Husten zustande brachte, oder dass sie jemanden verletzte.

So ging sie immer wieder zurück in ihre Höhle und studiert die Grundlagen fürs Feuerspeien noch genauer.

Eigentlich wusste sie, dass sie es perfekt und dosiert konnte, doch warum gelang es ihr mit anderen zusammen oft nicht?

Endlich wagte sie sich wieder raus und entschied sich, anderen Drachen beim Feuerspeien zuzuschauen. Was sie da sah, erschreckte sie sehr.

Sie sah, dass sie gar nicht die einzige war, welche das Feuerspeien nicht immer dosieren konnte. Sie realisierte, dass sich die meisten Drachen gar nicht darum scherten, was sie da den ganzen Tag ausspien. Sie kümmerten sich nicht darum, ob sie andere verletzten oder nicht, doch wenn sie selbst getroffen wurden, machten sie ein lautes Geschrei.

Nachdenklich ging Lulu zurück in ihre Höhle. Jetzt beschäftige sie nicht mehr die Frage, warum sie ihren Feuerstrahl oft nicht dosieren konnte, sondern vielmehr, warum sich viele andere Drachen nicht darum scherten, was aus ihrem Rachen kam, und warum sie sich wunderten, wenn sie verletzt wurden.

Wenn ein Drache zu Lulu kam und sich über die anderen Drachen beschwerte, versuchte Lulu aufzuzeigen, dass beide Drachen daran schuld waren, aber das wollte niemand hören.

Jeder Drache im Dorf wollte einen anderen beschuldigen, und so beschuldigten sie auch Lulu, dass sie immer den anderen half.

Doch wer waren die anderen? Sie wollte allen helfen, indem sie jedem verletzten Tier seinen Anteil aufzeigen wollte; doch das passte ihnen offensichtlich nicht.

Diese ewigen Diskussionen machten Lulu immer müder und obendrein bekam sie einen hartnäckigen Husten. Jetzt wollten ihre Drachenfreunde wissen, was sie den immer zu Husten hatte. Dummerweise fragten genau die Freunde, welche sie sonst um Rat baten, aber ihre Antwort dann doch nicht hören wollten.

Da das Husten immer wieder von Halsschmerzen begleitet wurde, hatte Lulu oft gar keine Energie und somit auch keine Lust mehr, den anderen etwas zu erklären. Aber glaubt ja nicht, das hätte sie betrübt. Im Gegenteil, jetzt hatte sie viel mehr Zeit, sich um ihre eigenen Bedürfnisse und um ihre eigenen Hobbies zu kümmern.

Das Beste daran war; wenn sie so ganz bei sich war, hörte sie ihre eigene innere Stimme.

Sie vernahm Dinge, welche sie nie für möglich gehalten hätte. Plötzlich wusste sie, warum sie immer Husten musste. Es ging darum, sich selbst zu schützen. Darum, sich nicht mehr in den Kampf der anderen Drachen einzumischen.

Sie lernte, dass es keinen Sinn machte, mit anderen Drachen zu diskutieren, wenn diese nicht bereit waren, hinzuhören und nur darauf warteten, Lulu gezielt zu widersprechen.

Als Lulu wieder einmal mit einem interessanten Buch in ihrem

Lieblingssessel sass, las sie, die Augen seien das Fenster zur Seele, und die Weisheit der Seele sei verbunden mit der Weisheit des Herzens.

Hmmm, dachte Lulu, wenn die Augen das Fenster zu Seele waren und die Seele mit dem Herzen verbunden war, sollte es doch möglich sein, den anderen Drachen direkt in deren Herz zu schauen.

Als sie hinausging, um dies zu testen, erlebte sie Erstaunliches. Es war überhaupt nicht einfach, den Drachen in die Augen zu schauen. Die einen machten sich klein, andere schauten auf sie herab. Nur selten gelang es ihr, einem Drachen auf Augenhöhe zu begegnen, und meistens nur kurz, denn die betroffenen Drachen fühlten sich schnell verunsichert und gingen davon.

Doch es gab auch Drachen, welche Augenkontakt zuliessen. Drachen, welche mit Lulu auf Augenhöhe blieben und ihr somit im Herz begegneten. Diese Begegnungen waren absolut wundervoll und machten Lulu glücklich.

Am liebsten hätte sie diese Erkenntnis wieder laut in die grosse Wildnis gerufen, doch wer wollte dies schon hören.

In Augenblicken wie diesen, wenn Lulu wieder einmal mit ihrem Schicksal haderte und keine Lösung fand, setzte sie sich still hin und atmete bewusst in ihr Herz, um zu spüren, was es zu tun gab.

Sie wusste, der Verstand konnte nicht fühlen und das Herz nicht denken. Doch in der Stille verbanden sich das Herz und der Verstand mit der Weisheit des Universums, dies ermöglichte dem Verstand neue Sichtweisen.

So merkte Lulu, dass es gar nicht darum ging, anderen Drachen Dinge zu erklären, welche sie nicht hören wollten, denn dann hörten sie nur mit dem Verstand.

Wenn sie den Drachen aber auf Augenhöhe begegnete, sie ohne Worte dazu brachte, ihr wirklich in die Augen zu schauen, geschahen immer wieder Dinge, welche magisch waren.

Und so geschah auch etwas Magisches bei Lulu. Ihr Unmut darüber, dass ihr die anderen nicht zuhörten und ihre Angst, andere zu verletzen, hatten sich gelegt. Sie wusste jetzt, dass es immer zuerst einen Blick in die Augen und somit in das Herz des Gegenübers erforderte, um herauszufinden, ob es Sinn machte, etwas zu erklären oder einen gut dosierten Feuerstrahl auszuspeien.

Sie hatte auch verstanden, dass sie zuerst durchatmen musste, um herauszufinden, ob sie den Feuerstrahl dosieren konnte. Denn wenn sie wütend, traurig oder verletzt war, konnte sie dies nicht.

In diesen Fällen ging es darum, zuerst herauszufinden, was sie selbst gerade brauchte. Dies stand leider in keiner der üblichen Anleitungen, welche allen Drachen, schon seit Generationen, weitergegeben wurde.

Im Laufe der Zeit fiel es mehreren Drachen auf, dass Lulu nicht mehr hustete und dafür immer öfter über das ganze Gesicht strahlte. Jetzt kam es vor, dass Lulu von Drachen Besuch bekam, welche sich ernsthaft dafür interessierten, wie sie ihren Husten und ihr unkontrolliertes Feuerspeien losgeworden war.

Immer mehr Drachen wendeten den Trick mit den Augen an und erzählten ihn freudig weiter. Dadurch begegneten sich im Dorf von Lulu immer mehr Drachen auf Augenhöhe und somit im Herzen. So entwickelte sich dieses Drachendorf zum Dorf der weisen Drachen.

Am nächsten Morgen erwachte Sonnja mit einem Strahlen im Gesicht. Zuerst dachte sie, es läge an der Sonne, welche in ihr Zimmer und direkt in ihr Gesicht schien, doch dann erinnerte sie sich wieder an ihren Traum.

Es wurde ihr bewusst, wie viele Menschen ihr inzwischen auf Augenhöhe begegneten. Wie viele Menschen und Tiere sich für ihre Geschichten interessierten und ihr immer wieder neue Geschichten erzählten.

In diesem Augenblick begriff sie; wenn man mit offenem Herzen durchs Leben geht, ist das Leben wunderbar. Wie konnte sie nur davon ausgehen, dass ein verschlossenes Herz Schutz bietet?

Allmählich konnte sie es in jeder Faser ihres Körpers spüren. Wenn sie ihr Herz öffnete, wurde ihr ganzes Körpersystem weit und frei und sie fühlte sich glücklich und stark.

An diesem Morgen machte sie einen langen Spaziergang. Sie genoss es, in der Natur und in der Stille mit sich selbst zu sein.

Fröhlich, entspannt und wieder ganz in ihrer Mitte angekommen, spürte Sonnja, dass es an der Zeit war, nach Australien weiter zu reisen.

Australien, der heilige Berg Uluru und seine Ureinwohner hatten sie schon immer interessiert und beschäftigt. Abgesehen davon, wollte sie unbedingt ihre Schulfreundin Petra treffen, welche vor vielen Jahren nach Perth ausgewandert war.

Sie buchte gleich für den nächsten Morgen ihre Rückreise nach Durban und von dort einen Flug nach Perth.

Australien

Am Flughafen von Perth, wurde Sonnja von Petra abgeholt. Die zwei hatten sich für lange Zeit aus den Augen verloren und daher viel zu erzählen.

Sonnja wollte ihr Projekt für eine Weile vergessen und stattdessen Urlaub machen. Sie nahm sich viel Zeit für Petra, für die Besichtigung von Perth und Umgebung und um Informationen über die Ureinwohner Australiens, die Aborigines, zu sammeln.

Nebst der schönen Stadt Perth und dem Swan River, genossen sie die wunderschönen Sandstrände, besichtigten kleine Hafenstädtchen, wanderten in Nationalparks, besuchten die berühmten Pinnacles und natürlich auch verschiedene Museen. Sonnja las Geschichten über Storytelling, Songlines und Traumpfade, über Felsmalereien und über das Didgeridoo.
Sie genoss die Zeit mit Petra sehr, doch schon bald spürte sie, dass es sie weiterzog, zum heiligen Berg Uluru.
Vor ihrer Abreise wollte Sonnja aber unbedingt noch den wunderschönen Zoo in Perth besichtigen.

Nachdem sie eine Weile im Zoo herumgeschlendert waren, machte sich Petra auf den Weg, um Getränke zu kaufen. Sonnja entschied sich, einen Blick in die nahegelegene Pflegestation zu werfen.
Als erstes entdeckte sie einen kleinen Koala mit verbrannten Füssen. Infolge von Waldbränden erleiden Koalas oft Verbrennungen, doch nicht alle Tiere kommen in eine Rettungsstation. Einige überleben und erholen sich von selbst, andere sterben an den Folgen. Wo liegt der Unterschied, fragte sich Sonnja. Wie kann es sein, dass es einen Schöpfer gibt, welcher die einen finden lässt und andere nicht, die einen sterben lässt, andere nicht?
Die andere Frage war; gibt es überhaupt einen solchen Schöpfer,

der das Ganze beeinflusst, oder ist alles nur Zufall? In Gedanken vertieft, stand Sonnja vor dem Käfig des kleinen Koalabären mit den eingebundenen Füssen. Daneben sass seine Mutter. Ihr ging es gut. Sie durfte mit auf die Station, denn ohne Mutter wäre der Kleine vielleicht gestorben und wer weiss, ob es die Mutter überlebt hätte, wenn man ihr einfach ihr Baby weggenommen hätte?

An manchen Tagen hatte der Verstand von Sonnja so viele Fragen, dass sie völlig unbewusst etwas tat, oder irgendwohin ging.
Naja, jedenfalls stand sie nun in der Pflegestation vor diesem Gehege und wusste nicht, was sie hier eigentlich wollte.
Doch anscheinend wusste es die Koalabärin, denn sie sah Sonnja direkt in die Augen.
Sonnja schaute entspannt und offen zurück, und da passierte es wieder. Plötzlich entstand wieder dieser Dialog im Herzen.

Die Koalabärin Milu

Die Koalabärin sprach: «Wie du weisst, haben wir hier in Australien eine lange Geschichte von Ahnen und Ureinwohnern. Wenn sich auch schon lange vieles verändert hat, ist eines doch immer gleich. Die Form verändert sich ständig.

Das heisst, Tiere und Menschen kommen und gehen. Blumen und Pflanzen gedeihen und verwelken oder verdorren wieder.

Hier in Australien verbrennt vieles. Manchmal aufgrund der Hitze, manchmal aufgrund dummer Zufälle oder Achtlosigkeit. Dinge geschehen eben und Formen verändern sich. Wenn du verstehst, dass du mit dem Geist der Ahnen in Verbindung treten kannst, wirst du verstehen, dass nichts wirklich verschwindet.

Energie verschwindet nicht einfach, sie wechselt nur die Form. Wasser wird zu Dampf oder Eis, zu Nebel oder Schnee, die Essenz bleibt.

So ist es auch bei den Tieren, Pflanzen und Menschen. Daher ist es nicht so schlimm, wenn einige von uns bei einem Waldbrand sterben, denn dies rüttelt die Menschen auf.

Wir Koalas gelten als kuschelig und süss, die Menschen sehen uns an und lieben uns, nur schon wegen unseren Knopfaugen. Was sie nicht wissen, ist, dass sie in unseren Augen unsere Seele sehen, denn wir haben nichts zu verbergen.

Ihr Menschen offensichtlich schon. Ihr versteckt eure Gefühle, verschliesst euer Herz und versucht euch so vor Verletzungen zu schützen. Doch das Leben ist nun mal lebensgefährlich. Irgendwann werden wir alle sterben.»

Sonnja konnte das zwar verstehen, doch sie fand, Koalas sollten nicht sterben oder sogar aussterben, nur wegen der Achtlosigkeit der Menschen.

Doch Milu versicherte ihr: «Was auch immer passiert, es ist immer richtig, so wie es ist. Was geschehen soll, wird geschehen, was nicht geschehen soll, geschieht auch nicht.» Sonnja erwiderte: «Wieso geschehen dann so viele schlimme Dinge? Wie kann es sein, dass etwas Schlimmes passieren soll?»

Die Koalabärin schaute Sonnja lange und tief in die Augen, dann fragte sie Sonnja: «Wann hast du das letzte Mal gelitten?» Sonnja antwortete: «Erst kürzlich, als mich jemand, den ich liebe, übel beschimpft hatte, für etwas, das ich nicht getan habe. Es ging um Vertrauen, welches gebrochen wurde. Dies hat sehr weh getan.»

Darauf erwiderte Milu: «Siehst du, ihr Menschen leidet auch. Seelischer Schmerz kann manchmal genauso weh tun wie Verbrennungen. Die Frage ist, wie kann man rechtzeitig weglaufen? Gibt es überhaupt einen richtigen Zeitpunkt dafür?»

Ja, das Thema Weglaufen hatte Sonnja schon oft beschäftigt. Manchmal war das Leben zum Davonlaufen und manchmal, plötzlich und ohne Vorwarnung, wieder wunderschön.

Als sie merkte, dass ihre Gedanken abgeschweift waren, wandte sie sich wieder dem offenen Blick der Koalabärin zu. In diesen Augen sah sie Offenheit und Liebe. Sie sah kein Vorurteil, kein Be- oder Verurteilen. Sie sah ein Wesen, welches einfach da war, ganz im Augenblick.

Milu sprach: «Dein Verstand macht sich viele Gedanken; die Fragen drehen sich im Kreis. Von der Vergangenheit in die Zukunft, von ach hätte ich doch, zu was wäre, wenn… Doch sei dir bewusst, all diese Fragen bringen nichts, ausser, dass sie dich vom gegenwärtigen Augenblick wegbringen; weg vom Hier und Jetzt.»

Sonnja erwiderte: «Wie können wir für die Umwelt und den wunderschönen Planeten Erde etwas tun, wenn wir uns keine Gedanken über die Zukunft machen?»

Milu schaute Sonnja etwas verschmitzt an und sprach: «Indem ihr hier und jetzt tut, was es hier und jetzt zu tun gibt. Es ist viel sinnvoller, jetzt gerade etwas Kleines zu tun, was gerade möglich ist, anstelle von grossen Taten in der Zukunft zu planen, denn wer weiss, ob du morgen noch lebst.

Abgesehen davon, die Materie, sprich, dein Körper ist immer im Hier und Jetzt. Erinnere dich, es ist nur dein Geist, welcher fliegen kann. Natürlich können dabei Visionen entstehen, doch wenn du die Visionen nicht umsetzt, werden sie niemandem nützen.»

Dies gab Sonnja sehr zu denken, denn das kannte sie gut. Schon oft hatte sie gute Ideen und nichts davon umgesetzt. Vielleicht wäre sie jetzt besser zuhause und würde etwas Sinnvolles für die Umwelt tun, als hier in der Wildnis Geschichten zu sammeln. Da ertönte in ihrem Kopf ein lautes STOPP.

Die Koalabärin sah Sonnja böse an und sprach: «Wie kannst du es wagen, dein wunderschönes Projekt so in Frage zu stellen? Du hast dich auf die Reise gemacht, um Menschen, Tiere und ihre Geschichten kennen zu lernen. Du hast all diesen Wesen ein Geschenk gemacht, indem du dich für ihre Geschichte interessierst. Sie haben dir ein Geschenk gemacht, indem sie dir ihre Geschichte erzählt haben. Nun mache etwas daraus. Werde Geschichtenerzählerin, schreibe ein Buch, nutze die Erfahrungen, welche du gesammelt hast und ehre das, was du gerade tust.

Die Menschen haben völlig verlernt, wertzuschätzen, was sie tun.

Weil sie das verlernt haben, haben sie ständig das Gefühl, nicht zu genügen, nicht am richtigen Ort zu sein, nicht das zu leben oder zu verdienen, was ihnen wirklich zusteht. Aber überlege mal, das Universum hat nichts anderes zu tun, als dir deinen Glauben zu bestätigen!

Das heisst, wenn du ständig im Gefühl lebst, dass du nicht gut genug bist und nicht genug für andere tust, wirst du genau die Menschen anziehen, welche dir dies bestätigen. Bedenke, dir geschieht nach deinem Glauben.»

Ohje, wie konnte Milu so haargenau sehen, was in Sonnja vorging und abgesehen davon, wie konnte Sonnja etwas ändern, was sie schon seit Jahren zu ändern versuchte?

Die Koalabärin verdrehte sichtlich die Augen, dann schenkte sie Sonnja ein Lächeln. «Wer sagt denn, dass du erfolglos warst? Wer sagt dir, dass du nicht jeden Tag, in jeder Sekunde daran bist, in deinem Leben etwas zu verändern?

Schau mal, du hast der Welt Kinder geboren. Du hast sie liebevoll beobachtet und bemerkt, dass sie ihr Strahlen verlieren. Vorher hast du dies auch schon bei dir bemerkt. Du hast nicht einfach resigniert, sondern du hast es achtsam beobachtet. Jetzt, da deine Kinder alt genug sind, hast du dich auf diese Reise gemacht, um Geschichten zu sammeln. Du versuchst herauszufinden, was Menschen glücklich macht und warum. Immer wieder gibt es in diesen Geschichten Wendepunkte und immer wieder entsteht daraus etwas Neues.

Was ist daran falsch? Du bist dem Ruf deines Herzens gefolgt und machst das, was dich glücklich macht. Daraus folgt, dass du viele Geschichten erzählen und damit andere glücklich machen kannst. Du hast viel gelernt. Dieses Gelernte kannst du weitergeben, andere können vielleicht auch davon profitieren. So verteilst du die Erfahrungen vieler Wesen und ihre Geschichten. Du verbreitest deine Freude und deine Erkenntnisse.

Wem würde es helfen, wenn du dich entscheidest, dass dies alles sowieso nichts bringt? Dass auf der Welt trotzdem immer wieder Schlimmes passiert und du dein Projekt einfach begraben würdest? Was würde dies bei dir auslösen?»

Sonnja spürte, wie sie bei diesem Gedanken traurig wurde. Milu hingegen begann zu strahlen. Sie sprach: «Siehst du, genau darum geht es im Hier und Jetzt. Immer wenn du etwas tust, was dir Freude macht, ist deine Energie freudvoll. Dies überträgt sich auf deine Mitmenschen und die Erde. Freudvolle Energie schwingt schnell und gibt dir den nötigen Auftrieb, Projekte wirklich in Angriff zu nehmen und durchzuziehen.

Umgekehrt funktioniert es genauso. Dein Verstand erzählt dir, dass dein Projekt nichts bringt, du glaubst ihm und wirst traurig. Deine Energie schwingt infolgedessen langsamer und plötzlich hast du überhaupt keinen Antrieb mehr, etwas zu tun. Du wartest auf eine bessere Idee und verschiebst alles auf morgen. Spürst du, was dieser Gedanke mit dir macht?»

Sonnja wurde bei dieser Vorstellung tatsächlich müde. Gleichzeitig war sie auch fasziniert. Milu hatte ihr doch nur Möglichkeiten aufgezeigt, und trotzdem veränderte sich, nur schon bei der Vorstellung der verschiedenen Optionen, Sonnjas Energiefeld.

Milu sprach: «Siehst du, das ist der Grund, warum einige Menschen und Tiere sich schnell wieder erholen und andere nicht. Ein Umfeld von Liebe, Freude und guten Gedanken erhöht die Schwingung, dadurch geschieht positive Veränderung und Heilung.

Trauer, Angst, Schmerz und Einsamkeit hingegen schwingen tief, langsam und dunkel. Somit kann es sein, dass etwas nur sehr langsam heilt oder, dass sich die Seele sogar entscheidet, den Körper zu verlassen, um irgendwann, in einer anderen Form, einen Neustart zu wagen.»

Noch bevor sich Sonnja weiter Gedanken machen konnte, hörte sie Petra ihren Namen rufen. Erst jetzt wurde Sonnja bewusst, dass sie Petra ganz vergessen hatte.

Sie bedankte sich bei der Koalabärin für das wunderbare Gespräch und wünschte dem Kleinen eine gute Besserung.

Die Geschichte der Koalabärin hatte Sonnja so gut gefallen, dass sie wieder voll motiviert war, noch mehr Geschichten zu sammeln.

Den ganzen Nachmittag schaute sie achtsam in die Tiergehege. Sie blieb immer wieder stehen, um den Tieren eine Chance zu geben, doch sie nahm nirgends ein Zeichen wahr, bis, wie konnte es anders sein, zu dem Moment, in dem sie sich entschieden, nach Hause zu gehen.

Sonnja wollte sich auf der Pflegestation nochmal von Milu verabschieden, doch irgendwie erwischte sie den falschen Weg und landete bei einem alten, schon etwas gebrechlichen Wombat.

Das Wombat sah so aus, als ob es schon den ganzen Tag auf Sonnja gewartet hatte. Tatsächlich hatte es sich auf der Pflegestation herumgesprochen, dass da eine Frau war, welche die Tiere verstand und Geschichten sammelte.

Die alte Wombatfrau, Julia, wollte Sonnja gerne ihre Geschichte erzählen, denn genau wie Sonnja war es früher auch ihr Wunsch, alles richtig zu machen und die Menschen und Tiere zu verstehen.

Das Wombat und die Liebe

Es war einmal ein kleines, süsses Wombat. Seine Eltern nannten es Julia. Julia musste man einfach lieben. Sie bezauberte alle mit ihrem Lachen und ihrem Charme. Dazu kam, dass sie immer viele verrückte Ideen hatte; dies hingegen fanden ihre Eltern oft nicht gut.

Mit der Zeit brachte die ablehnende Haltung der Eltern Julia dazu, dass sie aufhörte, über ihre Ideen nachzudenken oder darüber zu sprechen. Nur noch selten nahm sie ihre Projekte in Angriff, denn sie dachte, es hätte ja eh keinen Sinn. Es interessierte ja sowieso niemanden.

Julia wurde älter, ging zur Schule, machte was man ihr sagte, aber irgendwie verlor sie ihr Lachen und ihren Charme. Stattdessen wurde sie pingelig und gemein, doch noch immer war sie clever.

Noch immer konnte sie viel sehen und hören, was andere nicht sahen oder hörten. Doch jetzt wendete sie dieses Wissen gegen die anderen, um ihnen zu zeigen, wo ihre Schwachstellen lagen. So wurde das Wombat ziemlich selbstgerecht und fand nur schwer Freundinnen.

Mit den Jungs war es einfacher. Diese hörten nicht so genau hin und machten sich viel weniger Gedanken. Julia genoss es, wenn sie von ihnen, mit ihrer Scharfzüngigkeit, viele Lacher erntete.

Feinfühlig wie sie war, sah sie aber auch, welche Verletzungen sie mit ihrer Scharfzüngigkeit hinterliess.

Meist war ihr nicht bewusst, warum sie andere, mit dem was sie sagte, beleidigte oder verletzte. Sie sprach doch nur aus, was sie sah und wahrnahm.

Eines Tages begegnete sie einer wunderschönen Emufrau, welche sah, in welchem Dilemma Julia steckte.

Diese Emufrau zeigte Julia, wie sie ihr Leben ändern konnte.

Sie erklärte ihr, wie wichtig es war, genau hinzuhören und hinzu-
fühlen, wie es einem selbst geht. Genau zu prüfen, was, und vor
allem welches Verhalten, einem selbst glücklich macht und was
nicht.

So begann Julia sich selbst beim Sprechen zuzuhören und alle
danach zu fragen, was richtig und was falsch war. Sie wollte
wissen, was man sagen darf und was nicht, und wie man sich
verhalten kann, ohne jemanden zu verletzen.

Julia war fest entschlossen, alles daran zu setzten, ab jetzt ein
gutes Wombat und ihren Kindern eine gute Wombatmutter zu
sein. Denn inzwischen hatte sie geheiratet und zwei süsse Babys
bekommen.

Doch je mehr sie versuchte, alles richtig zu machen, es allen
recht zu machen, umso schwieriger wurde ihr Leben.

Sie wollte allen helfen, hatte aber auch nur zwei Hände. Sie
wollte immer das Richtige sagen, doch egal wie lange sie nach
den richtigen Worten suchte, es kam trotzdem immer wieder
falsch heraus.

Das beschäftige sie sehr, darum holte sie sich Rat bei ihrem
Mann. Dieser sagte: «Weisst du, es sind nicht die Worte, sondern
es ist der Ton, wie du etwas aussprichst, welcher entscheidet,
wie etwas bei anderen ankommt.»

So arbeitete Julia an ihrem Ton. Als sie spürte, dass auch das
nichts half, sprach sie immer weniger und wurde immer trauriger.
Da stiess sie auf die Lehrerin Frau Maus. Diese war nicht nur
genial, sondern auch frech und fröhlich. Wenn sie ihre Lehren
erzählte, kamen die Tiere von weit her, um ihr zuzuhören.

Sie lehrte die Tiere, dass es gar nicht so sehr darauf ankommt,
was sie sagen oder wie sie es sagen, sondern wie es ihnen selbst
gerade geht.

Sie erklärte den Tieren: «Wenn ihr jemandem etwas Nettes
sagen wollt, aber tief in euch drin müde, wütend oder gestresst
seid, schwingt diese Energie in eurer Stimme mit.

Dann kann es geschehen, dass diese Energie einen wunden, schon lange vergessenen, Punkt eures Gegenübers berührt. So können Worte, welche eigentlich nett gemeint oder neutral sind, bei euerm Gegenüber Schmerz auslösen. Natürlich ist es dann nicht eure Schuld, denn wie wollt ihr wissen, wie das, was ihr sagt, bei eurem Gegenüber ankommt?

Verdrängte Gefühle sind wie Dornen, welche unter eurer Haut stecken. Wann immer euch jemand dort berührt, spürt ihr den Schmerz, ihr schreit auf und beschuldigt den anderen, euch weh getan zu haben.

Derjenige, der euch nur liebevoll berühren wollte, ist nun verwirrt, denn aus seiner Sicht hat er nichts getan; er wollte doch nur liebevoll berühren.

Jetzt fiel es Julia wie Schuppen von den Augen. Als sie klein war, wollte sie alle liebevoll berühren und Wunden heilen. Doch diese Berührungen lösten bei manchen Tieren Schmerz aus, sie fühlten sich angegriffen und schlugen zurück.

Dies wiederum führte bei Julia zu Verletzungen. Da sie dies alles nicht verstand, begann auch sie ihren Schmerz zu verstecken, um zu vermeiden, berührt zu werden.

Doch was nun? Wie konnte das ganze wieder rückgängig gemacht werden? Langsam tauchte Julia aus ihren Gedanken auf und hörte, dass die weise Maus noch immer sprach.

Sie erklärte gerade: «Es ist ganz wichtig, dass jedes Wesen sich immer wieder selbst in die Arme nimmt. Denn jedes Wesen weiss nur selbst, wo ihm Berührung am meisten weh tut. Nur wenn man genau hinschaut und hin spürt, kann man seine eigenen Verletzungen finden und heilen. Manchmal braucht man jemanden, der einem hilft, hinzuschauen und verstehen zu lernen.»

So übte und übt Julia noch immer, sich selbst in den Arm zu nehmen und hinzuschauen.

Etwas hatte sie schon sehr gut gelernt. Immer wenn jemand

etwas sagte, das ihr weh tat, war genau dort eine Verletzung, welche es noch zu heilen gab.

Sie war daran zu lernen, das Leben zu geniessen, im Wissen; niemand ist perfekt, denn niemand ist unverletzt.

Die einen wollen Hilfe, andere nicht. Die einen glauben daran, dass man Verletzungen durch Hineinspüren heilen kann, andere verdrängen lieber ihren Schmerz.

Auch das musste Julia lernen zu akzeptieren. Manchmal verfällt sie noch immer der Gewohnheit, anderen helfen zu wollen und bekommt dann eins auf die Schnauze, genau auf die Stelle, welche heute noch schmerzt.

Warum das so ist? Wer weiss, eines Tages wird sie es vielleicht wissen.

Kaum hatte das Wombat seine Geschichte zu Ende erzählt, merkte Sonnja, dass Petra etwas genervt in einer Ecke stand und wartete. Julia zwinkerte Sonnja lächelnd zu, Sonnja bedankte und verabschiedete sich und erwiderte strahlend das Zwinkern.

Am nächsten Morgen, nach einem herzlichen Abschied von Petra, bestieg Sonnja das Flugzeug nach Alice Springs.
Um möglichst viel von der Umgebung zu sehen, wählte sie für die Weiterreise den Bus zum Ayers Rock.
Noch immer wusste sie nicht genau, was sie dort, am Ayers Rock, eigentlich wollte, doch sie war schon ganz aufgeregt. Obwohl sie noch nie dort war, fühlte es sich beinahe an, wie nach Hause kommen. Das war wirklich seltsam.

Auf der Strecke gab es nicht viel anderes zu sehen als Sand, trockene Buschlandschaften und ab und zu ein paar Kängurus.
Die Kängurus rund um das Resort waren an Menschen gewohnt und liessen sich gerne mit Leckerbissen anlocken. Folglich dauerte es nicht lange, bis Sonnja die Geschichte vom Känguru Susi, und dessen wundersamen Traum, zu Ohren kam.

Das Känguru mit den Bauchschmerzen

Das Känguru Susi hatte oft fürchterliche Bauchschmerzen. Der Schmerz war tief in seinem Beutel versteckt, daher konnte ihn niemand sehen. Da Susi die Ursache nicht kannte, hatte sie keine Lust mit jemandem darüber zu sprechen, denn sie erwartete nicht, dass es jemand verstand.

Aber manchmal, an ganz schlimmen Tagen, musste sie weinen vor Schmerz. Sie kam nur ganz langsam voran und jeder Schritt tat ihr weh.

Am liebsten verkroch sie sich dann in ein Loch und hoffte, dass niemand sie sehen konnte. Es gab aber auch Tage, an denen sie sich wünschte, dass jemand sie sah, tröstete und in die Arme nahm.

Noch mehr wünschte sie sich, es käme eine gute Fee und würde ihr erklären, woher der ganze Schmerz kam. Vielleicht würde dies helfen, ihn zu heilen. Doch das passierte leider nie.

So versuchte das Känguru selbst nach der Ursache zu forschen. Es untersuchte immer wieder seinen Beutel, fand aber nichts.

Es las viele kluge Bücher und besuchte Tiere mit grossem Heilwissen, doch niemand konnte ihm sagen, was ihm fehlt.

Zwischendurch hüpfte Susi wieder fröhlich mit ihren Freundinnen durch die Gegend, bis dieser heftige Schmerz, scheinbar aus dem nichts, wieder auftauchte.

Inzwischen hatte sich Susi daran gewöhnt und sich mit ihm arrangiert.

Da Susi inzwischen selbst viel Heilwissen angesammelt hatte, kamen nun oft Tiere zu ihr, um sie um Rat zu fragen. Das machte Susi Freude. Es wurde ihr jedes Mal leicht ums Herz, wenn sie jemandem helfen konnte.

Sie sah aber auch, dass sie nicht allen Tieren helfen konnte und lernte, dass auch dies ok ist. Sie wusste; alles wird genau dann geheilt, wenn es geheilt werden kann und darf. Nur weil man es wollte und einem jemand dabei half, hiess dies noch lange nicht, dass es auch gelang.

Nun fragte sich Susi immer öfter, woran es wohl lag, dass die einen gesund wurden und andere nicht. Warum sie einigen helfen konnte, anderen nicht, und warum ihr eigener Schmerz immer wieder kam.

Gerade als sich Susi entschloss, sich mal wieder den Bauch massieren zu lassen, kam ihr alter Schmerz ganz heftig zum Vorschein. Susi hoffte, dass, wenn sie sich schön hinlegte und dem Schmerz ein wenig Zeit liess, er von selbst wieder weg ging. Aber weit gefehlt, es war, als ob ein altes Raubtier in ihrem Bauch geweckt worden wäre; der Schmerz frass sie fast auf.

Humpelnd und jammernd raufte sie sich die Haare und wusste beim besten Willen nicht, was sie tun sollte oder wer ihr helfen konnte.

So schrieb sie Namen von Heilern und Selbsthilfemassnahmen auf kleine Zettelchen und legte alle Zettel in ihren Beutel. Dann schloss sie die Augen und zog eines heraus.

Sie zog den Zettel mit dem Namen einer weisen Koalabärin. Also machte sich Susi auf den Weg zu ihr. Als sie dort ankam, musste sie aber feststellen, dass die Koalabärin nicht zuhause war. Susi setzte sich vor ihre Haustüre, schlief fast augenblicklich ein und träumte einen intensiven Traum.

Im Traum erschien ihr ein Kokopelli, ein indianischer Flötenspieler, welcher mit seiner Musik Glück in die Dörfer brachte. Das Känguru lauschte den wunderschönen Klängen, dabei wurde es langsam ruhig in seinem Bauch. Doch nicht nur dort, auch in seinem Kopf wurde es ruhig und sein Herz wurde weit.

In dieser Stille konnte es eine alte Indianerfrau sehen, welche ein wunderschönes Schlaflied sang, dabei sank Susi noch tiefer in den Schlaf. Sie sah sich selbst, als Wolfshund Togo, über die Wiesen springen.

Obwohl das Känguru noch nie bei den Indianern war, wusste es plötzlich genau, wie es dort aussah. Der junge Togo war ohne sein Rudel unterwegs und spielte Fangen mit dem jüngsten Häuptlingssohn. Sie hatten wieder einmal so richtig Spass. Sie begannen immer wilder herumzutollen, bis jemand auf Togo schoss.

Noch bevor Togo realisierte, was passierte war, sah er einen dicken Giftpfeil in seinem Bauch stecken.

Er hört noch, wie der Häuptlingssohn weinte und schrie: «Aber Papa, wir haben doch nur gespielt», dann wurde Togo von wunderschönen Engelwesen und ganz viel Licht abgeholt.

Die Szene wechselte. Susi sah und hörte, wie eine schamanische Heilerin zu ihrem Volk sprach. Sie sagte: «Ihr müsst die Giftpfeile immer aus den toten Tieren herausziehen und den Körper vom Gift befreien, sonst wirkt es im Energiefeld der Tiere noch viele Leben nach.» Die einen Indianer nahmen die Schamanin ernst, andere lachten nur laut über sie und liessen die Kadaver achtlos liegen. So geschah es auch mit Togo.

Nun passierte im Traum von Susi etwas ganz Spezielles. Die Schamanin sah Susi direkt in die Augen und sprach: «Es ist höchste Zeit, dass wir dieses Gift, und den damit einhergehenden Schmerz, aus deinem Energiefeld befreien.»

Daraufhin nahm sie ihre rauchende Tabakpfeife, zog ein paarmal daran, blies den Rauch zu Susis Bauch und sprach unheimlich klingende Worte. Zum Schluss zog sie etwas Unsichtbares aus Susis Beutel.

Daraufhin erwachte das Känguru. Es fühlte sich ganz benommen und wusste kaum noch wo es war und warum es vor der Türe von Frau Koala sass.

Je wacher es wurde, desto mehr kam ihm alles wieder in den Sinn. Dieser seltsame Traum von diesem seltsamen Ort. Ob es dort wirklich schon einmal gewesen war?

Konnte es sein, dass es in einem anderen Leben ein Wolfshund gewesen war? Es war tatsächlich so, dass es die Wolfshunde schon immer gerne mochte, obwohl die anderen Kängurus Angst vor ihnen hatten. Aber es selbst, in einer anderen Inkarnation, ein Wolfshund? War an solchen Geschichten wirklich etwas Wahres dran?

Tatsache war, dass Susi sich gerade gesund, glücklich und erholt fühlte. Wie auch immer, sagte sie sich, und hüpfte nach Hause.

Ob Susi nun für immer geheilt war, erfuhr Sonnja leider nicht.

Diese Geschichte gab Sonnja zu denken. Sie hatte sich schon öfters Gedanken über vergangene Leben gemacht und sich gefragt, warum ihr gewisse Menschen und Länder auf Anhieb vertraut waren; sei es nun positiv oder negativ.

Sie hatte auch schon gehört, dass man sich als Seele die Eltern, Geschwister und das Leben aussuchte, welche einem halfen, etwas Bestimmtes zu lernen. Genau wusste dies anscheinend niemand.

Zu Sonnjas erstaunen, hatte sie das Gefühl, dass ihre Aufgabe am Ayers Rock, was auch immer diese sein mochte, nun erfüllt war.

Trotzdem verbrachte sie noch ein paar Tage in der Umgebung, um die Energie des Uluru und der Ureinwohner ganz in sich aufzunehmen.

Eine Woche später buchte sie einen Flug nach Bali, ihre letzte Destination vor der Heimreise. In einem Film hatte sie gesehen, wie sich eine Journalistin von einem weisen Balinesen in einem Tempel Rat holte. Das wollte Sonnja jetzt unbedingt auch tun. Sie hoffte, einen Meister zu finden, welcher ihr ihre noch unbeantworteten Fragen beantworten konnte.

Sonnja hatte schon viel von Bali, dem Land der Götter, Tempel und Drachen, gehört. Im Film hatte sie gesehen, dass die Balinesen Götter um Hilfe und Rat fragten und ihnen täglich kleine Opfergaben schenkten, um sie wohlgesinnt zu stimmen.
Jede Familie hatte einen eigenen, kleinen Haustempel und an bestimmten Tagen wurden zu Ehren der Götter grosse Tempelfeste gefeiert.
Sonnja wollte gerne einem Tempelfest beiwohnen. Sie war fasziniert von der fremdartigen Musik, war gespannt auf die verschiedenen Tempeltänze und freute sich auf die wunderschönen, bunten Märkte, die vielen exotischen Speisen und ihre Gerüche.

Asien

Nachdem sie in Dempasar den Flughafen verliess und noch etwas verschlafen in die Sonne blinzelte, zog sie das pralle Leben von Balli schon ganz in seinen Bann.

Alles war noch viel schöner und bunter, als sie es sich vorgestellt hatte. An jeder Ecke hatte es kleine Tempel bestückt mit Räucherstäbchen und Opfergaben.

Noch während sie versuchte, alles in sich aufzunehmen, wurde ihr von einem Taxifahrer ihr Gepäck abgenommen. So folgte sie ihm ins Taxi und nannte ihm die Adresse ihres Hotels in Sanur.

Die Hotelanlage mit den vielen Schnitzereien, Bildern und Blumen war wunderschön und überall duftete es nach exotischen Pflanzen.

Sonnjas Zimmer hatte einen grossen Balkon mit direktem Blick auf das türkisblaue Meer. Der Strand lud nicht gerade zum Baden ein, dafür war die Poolanlage traumhaft schön, eingebettet in einen wunderschönen Garten.

Beim Abendesse bemerkt Sonnja, dass am Tisch nebenan Europäerinnen sassen. Obwohl in diesem Hotel, für Sonnjas Geschmack, alles perfekt war, schienen sich die zwei nicht so richtig freuen zu können.

Sonnja kam es vor, als ob die zwei sich stritten. Worum es wohl ging? Doch sie war viel zu müde, um sich darüber Gedanken zu machen. Sie freute sich auf ihr schönes Bett und die Erlebnisse, welche auf sie warteten.

Als erstes gönnte sich Sonnja einen erholsamen Tag an der Nusa Dua Beach, einem der schönsten Strände an Balis Küste. Sie genoss das Schwimmen und Sonnenbaden und freute sich schon darauf, noch mehr von Bali zu sehen.

In den darauffolgenden Tagen besichtigte sie Tempel, Reisfelder, Wasserfälle und eine Kaffeeplantage.

Sie hatte viel fotografiert, verschiedene Märkte besucht und kaum etwas geschrieben. Jetzt war sie wieder bereit für neue Geschichten.

Der Zufall wollte es, dass genau an diesem Abend die beiden Europäerinnen wieder am Nebentisch von Sonnja ihr Nachtessen einnahmen.
Doch die zwei erschienen ihr verändert; weicher und strahlender. Nun konnte Sonnja nicht mehr an sich halten. Nur zu gern wollte sie wissen, was die zwei Frauen in der Zwischenzeit erlebt hatten.

Die zwei Europäerinnen hiessen Lotti und Trudi. Obwohl sie Geschwister waren, waren sie sehr verschieden und gerieten immer wieder in Streit. Trotzdem fühlten sie sich sehr verbunden miteinander und hatten sich sehr lieb.
Doch obwohl sie sich lieb hatten, war ihnen nicht klar, dass jede der anderen nur helfen wollte. Jede fühlte sich schnell angegriffen, beide fühlten sich missverstanden.
Die Menschen in ihrer Familie und in ihrem Umfeld sahen dies, wollten sich aber nicht einmischen, denn sie wussten auch nicht, wo genau das Problem lag.
So kam es immer wieder vor, dass die beiden tagelang nicht miteinander sprachen.
Doch wie das Leben so spielt; die Zeit verging, irgendwann waren die gegenseitigen Verletzungen vergessen und die zwei konnten sich wieder friedlich begegnen.
Was niemand wusste, war, dass die Schöpfung die beiden Frauen in dieselbe Familie gestellt hat, damit sie sich ihrer noch offenen Wunden, beziehungsweise ihrer Schwachstellen, bewusst wurden.
Die beiden waren in ihren Charakteren so geschaffen, dass sie nicht anders konnten, als der anderen immer wieder unbewusst mit dem Finger in ihre Wunde zu stechen; um ihr zu zeigen, wo

noch etwas geheilt werden wollte. Lotti wollte sich dann jeweils mit ihrem Schmerz verkriechen, was wiederum Trudi zur Weissglut trieb. Sie wusste, dass eitrige Wunden angeschaut und gesäubert werden müssen, damit sie ausheilen können.

Lotti wusste dies eigentlich auch, den beide, Lotti und Trudi, hatten es sich zum Beruf gemacht, anderen dabei zu helfen, ihre alten Verletzungen ausheilen zu lassen.

Natürlich war es einfacher, die Verletzungen anderer zu behandeln. Man roch zwar, dass der Eiter stank, man konnte sich den Schmerz des anderen vorstellen, doch fühlen musste man ihn nicht.

Da dies beiden klar war und weil sie sich im Grunde ihres Herzens ihrer gegenseitgien Liebe bewusst waren, entschieden sie sich, zusammen eine Reise nach Bali zu machen.

Beide träumten schon lange davon, aber keine hatte bisher den Mut dazu. Doch jetzt war es höchste Zeit. Sie wussten, dass es in Asien viele erwachte Meister gab und beide waren nun bereit, sich bei einem Meister Rat zu holen.

Sie mussten zugeben, dass ihre eigenen Wunden zu sehr schmerzten, um sich gegenseitig neutral zuhören zu können, oder um sich gegenseitig helfen zu können.

Gemeinsam entschieden sie sich für einen Meister, welcher in einem Tempel in Ubud auf Bali lebte.

Beide freuten sich riesig auf diese Reise und auf das wunderschöne, geheimnisvolle Land. Aber am meisten waren sie gespannt darauf, ob ihnen der Meister wirklich einen nützlichen Rat geben konnte.

Die ersten zwei Tag in Bali verbrachten sie damit, sich an die fremde Umgebung und an das Klima zu gewöhnen.

Trudi wollte sofort zum Strand, auf den Markt, zur Massage und am liebsten alles gleichzeitig, um ja nichts Interessantes zu verpassen. Lotti hingegen wollte erstmal einfach nur schlafen, denn dafür hatte man doch Ferien.

So erging es den beiden, wie so oft zuhause. Keine konnte die andere verstehen und keine wollte nachgeben.

Da sie merkten, dass sie gerade dabei waren, sich gegenseitig den Urlaub zu vermiesen, waren sie heilfroh, als sie am dritten Tag endlich ihren Termin beim Meister wahrnehmen konnten.

Man sieht nur mit dem Herzen gut

Der Meister begrüsste Trudi und Lotti mit einem breiten Lachen im Gesicht, welches aus seinen Augen strahlte und die beiden mitten in ihrem Herz berührte.

Er sprach: «Ich kann sehen, dass ihr beide schon viel an euch gearbeitet habt. Beide wisst ihr, dass ihr noch Verletzungen aus vergangenen Zeiten habt. Ihr wisst, dass es gut ist, diese offen heilen zu lassen. Weil es aber eure eigenen Verletzungen sind, spürt ihr den Schmerz und habt Angst, dass diese Wunden noch mehr verletzt werden. Das heisst, ihr wollt sie möglichst verstecken, um euch vor weiterem Schmerz zu schützen.

Was ihr dabei aber vergesst, ist, dass eine versteckte Wunde (Verletzung, Angst, Trauer, Wut) dazu führt, dass immer wieder Menschen in euer Feld kommen um darin bohren. So lange bis ihr bereit seid, ganz genau hinzuschauen.

Es geht darum, die Wunde von allen Seiten zu betrachten und jemandem zu vertrauen, der ehrlich dazu bereit ist, euch dabei zu helfen.

Das war euch klar, doch oft habt ihr die falschen Menschen um Rat gefragt. Solche, die es zwar gut meinten, die aber dieselben Wunden in sich trugen und daher nicht in der Lage waren, euch neutral zu beraten. Menschen, welche helfen wollten, doch selbst keine Ahnung hatten, wie. Somit machten sie alles nur noch schlimmer.

Doch ob ihr es glaubt oder nicht, auch das ist von der Schöpfung so gewollt, denn irgendwann geht es darum, zu verstehen, dass nur die verwundete Person selbst sich vollständig heilen kann. Indem sie aufhört, sich von anderen verletzt zu fühlen, indem sie versteht, dass nur sie selbst sich verletzen kann.»

Lotti und Trudi hatten bis zu dem Moment aufmerksam zugehört, doch jetzt platzte Lotti mit der Frage heraus: «Wie kann das sein? Wenn mich jemand beleidigt, tue ich dies doch nicht selbst.» Darauf erwiderte der Meister: «Entscheidend ist nicht, was in deinem Geschenkpacket drin ist, sondern was du daraus machst.

Zum Beispiel: Du hast dir zum Geburtstag eine Blumenvase gewünscht und stattdessen eine Flasche Apfelsaft bekommen. Gehen wir davon aus, dass die schenkende Person eigentlich wissen sollte, dass du allergisch auf Äpfel reagierst. Jetzt hast du verschieden Reaktionsmöglichkeiten.

Du kannst das Geschenk dem Überbringer dankend zurückgeben und ihm erklären, warum du das Geschenk nicht möchtest. Du kannst das Geschenk aber auch freundlich entgegennehmen und dich darüber ärgern, solange du möchtest.

Was du auch noch tun kannst, ist, das Geschenk jemandem weitergeben, welcher Apfelsaft mag; so habt ihr beide Freude. Oder du giesst den Apfelsaft in den Abfluss und benutzt die Flasche als Blumenvase.

Genauso viele Möglichkeiten wie es gibt, mit einem ungewollten Geschenk umzugehen, genauso viele verschiedene Möglichkeiten gibt es, auf eine sogenannte Verletzung zu reagieren.

Überlege; eigentlich ist das was dich verletzt einfach eine Aneinanderreihung von Worten. Daraus entstehen Sätze und diese wiederum verursachen ein Reaktionsmuster in Form von Freude, Liebe, Wut oder Trauer.

Das heisst, wenn jemand etwas zu dir sagt, gelangt das Gesagte meist direkt von deinem Verstand zu deinem Reaktionsmuster, weil der Verstand denkt, er müsse dich vor Verletzungen schützen. Dies verhindert aber, dass das Gesagte zum Herz gelangen kann.

Das heisst, die Worte können nicht mit dem Herzen gehört werden. Doch wie heisst es so schön, in der Geschichte vom kleinen Prinzen, welche übrigens von einem Europäer geschrieben wurde? Man sieht nur mit dem Herzen gut.

Genau darum geht es auch in eurer Geschichte. Das Herz ist neutral, es be- und verurteilt nicht. Das Ego hingegen besteht aus verschiedenen Persönlichkeitsanteilen, welche verschiedene Ansprüche haben.

Der Eitle zum Beispiel will, dass man ihm Respekt zollt; der Beleidigte will, dass man sich bei ihm entschuldigt. Der Strebsame will, dass alle anderen auch strebsam sind. Jeder lebt in seiner eigenen Welt. Jeder hat seine Gründe, dort zu leben, aufgrund von Erfahrungen, welche er in seinem Leben gemacht hat.

Doch es gilt zu verstehen, dass diese Wesen Reaktionsmuster eures Egos sind und im Grunde nichts mit euch zu tun haben. Ihr selbst könnt entscheiden, wie lange ihr mit dem Eitlen, dem Beleidigten und allen anderen zusammenleben wollt.»

Da Trudi und Lotti plötzlich ganz still geworden waren, schlug der Meister vor, gemeinsam eine Tasse Tee zu trinken und anschliessend einen Spaziergang im Garten zu machen.

Die zwei nahmen das Angebot dankbar an, denn das Gehörte mussten sie nun erstmal verdauen.

Nach einer Weile kamen sie zu einem wunderschönen Platz mit Schmetterlingen. Während die zwei gebannt den Schmetterlingen zuschauten, sprach der Meister: «Stellt euch einmal vor, diese Schmetterlinge hätten darauf beharrt, eine Raupe zu sein. Denkt ihr, es hätte sie in ihrem Prozess behindert?»

Er schaute in die ratlosen Gesichter seiner Besucherinnen und sprach weiter: «Es ist nicht das Leben, welches euch behindert, sondern euer Glaube. Egal was die Raupe glaubt; es liegt im Lauf der Dinge, dass sie irgendwann zu einem Schmetterling wird. Wenn sie dies aber nicht glauben will oder kann, kann es sein, dass sie sich weiterhin wie eine Raupe benimmt und dadurch nie fliegen lernt. Auch wenn ihr tausend Schmetterlinge zurufen würden, dass sie eine von ihnen ist und auch fliegen kann, wird es ihr nicht helfen, solange sie sich an ihre Vergangenheit und an die Erfahrungen als Raupe klammert.

Natürlich gibt ihr die Vergangenheit Recht, sie war eine Raupe und hat diese Erfahrung auch wirklich gemacht. Doch im Leben geht es nie darum, was war, sondern darum, was dir das Leben hier und jetzt gibt. Wenn die ehemalige Raupe nun glaubt, nie fliegen zu können, wird sie es nicht üben und somit allen beweisen, dass sie es wirklich nicht kann.

Erst wenn sie lange genug gelitten hat und wirklich verzweifelt ist, weil ihr weder die Raupen noch die Schmetterlinge helfen können, öffnet sie sich vielleicht der Möglichkeit, dass sie doch fliegen lernen könnte.

Doch auch damit ist es noch nicht getan. Es braucht Mut, Kraft und Ausdauer, um fliegen zu lernen.

Die Gefahr von Verletzungen besteht immer. Aber stellt euch einmal vor, was für ein Preis dabei herausschaut, wenn der Schmetterling dann endlich fliegen kann.

Dies alles wird der Schmetterling verpassen, welcher immer nach hinten schaut und seine Angst vor dem Fliegen damit rechtfertigt, dass er ein Leben als Raupe führte und Raupen nun mal nicht fliegen können.»

Nun wurden die zwei noch nachdenklicher, denn sie hatten keinen blassen Schimmer, worauf der Meister hinaus wollte.

Wieder lachte der Meister die zwei von ganzem Herzen an und sprach weiter: «Schaut, in eurer Bibel steht geschrieben: Dir geschieht nach deinem Glauben. Natürlich heisst das nicht, dass wenn ein Regenwurm glaubt, eine Raupe zu sein, dass er dann fliegen lernen kann, denn das liegt nicht in seiner Natur.

Also, Lektion eins: Glaubt nie, ihr wüsstet, was gut für den anderen ist, denn ihr kennt seinen Seelenplan nicht.

Lektion zwei: Wer nicht hören will, muss fühlen. Wenn ihr glaubt, alles allein lösen zu müssen, fällt ihr vielleicht in dieselbe Grube wie euer Vordermann und das muss nicht sein. Also teilt eure Erfahrungen und hört einander offen zu. Im Wissen, dass es nicht darum geht, wer Recht hat; es geht nur um einen

Erfahrungsaustausch. Drittens: Aus einem Affen wird nie eine Giraffe. Das heisst, obwohl beide von oben herabschauen können, haben trotzdem beide völlig verschiedene Ansichten und Lebensweisen.

Das heisst, jeder ist in jedem Moment richtig, so wie er ist. Jeder hat das Recht, ständig in die Vergangenheit oder in die Zukunft zu schauen; doch das Leben schenkt dir immer nur das Jetzt.

Ihr könnt euer Leben nach dem ausrichten, was in der Vergangenheit war, oder darauf warten, was euch die Zukunft bringt.

Beides wird euch nicht sonderlich erfreuen, denn alles was ihr braucht, habt ihr jetzt.

Also schaut euch jetzt an; was seht ihr?»

Da sich die Herzen von Lotti und Trudi in der Zwischenzeit weit geöffnet hatten, begegneten sie sich das erste Mal wirklich tief in ihren Herzen und somit in ihrer Seele.

Sie konnten ihre Verbundenheit ganz deutlich sehen und spüren.

Sie erinnerten sich daran, dass sie sich als Seelen gemeinsam auf den Weg gemacht hatten, um sich gegenseitig bedingungslos zu unterstützen.

Der Meister nickte zufrieden und sprach: «Jetzt habt ihr es in der Tiefe eurer Herzen verstanden. Was ihr daraus macht, ist eure Sache.»

Mit einem fröhlichen Lachen ging er seines Weges und lies die zwei allein.

Zum ersten Mal hatten Trudi und Lotti verstanden, dass sie sich wirklich verdienten. Sie verdienten einen Menschen, der sie bedingungslos liebte und sie mit offenem Herzen, nach seinen Möglichkeiten, unterstützte.

Sie sahen aber auch zum ersten Mal die Angst und die Verletzlichkeit ihres Gegenübers. Sie schworen sich gegenseitig, sich ab sofort offen und geduldig zuzuhören, das Gesagte zuerst ins Herz zu lassen und erst dann zu reagieren, denn so wird das Ego ausser Acht gelassen.

Ob ihnen dies ab jetzt gelingen wird?
Wer weiss. Doch beide waren fest entschlossen, daran zu arbeiten.

Sonnja war beeindruckt von dieser Geschichte. Das Problem, sich von anderen verletzt zu fühlen, kannte sie gut, doch noch nie hatte es ihr jemand so anschaulich erklärt.

Dies erinnerte Sonnja daran, dass sie sich ebenfalls Rat bei einem Meister holen wollte. Die beiden Frauen gaben Sonnja seine Telefonnummer.

Sonnja rief den Meister noch am selben Abend an und freute sich sehr, denn sie bekam schon für den folgenden Nachmittag einen Termin.

Den Morgen verbrachte sie damit, sich die Sehenswürdigkeiten von Ubud anzusehen. Unter Anderem gab es dort viele Künstler, welche ihre Kunstwerke gleich vor Ort verkauften. Bekannt war auch der Affenwald; ein kleiner Naturpark mit einem hinduistischen Tempel nahe beim Dorf. Dort wollte Sonnja ihren Ausflug beginnen.

Am Eingang kaufte sie getrocknete Bananen, um die Affen damit zu füttern. Nach wenigen Metern entdeckte sie den ersten Affen. Irgendwie erschien ihr der Affe etwas aggressiv, so wollte sie ihn mit einem Stück Banane besänftigen.

Noch bevor sie ein Stück aus der Packung nehmen konnte, sprang sie der Affe an und entriss ihr das ganze Packet.

Sonnja stand perplex da und brauchte einen Moment, um sich von diesem Schrecken zu erholen.

Sie setzt sich auf eine nahe gelegene Steinmauer. Noch während sie zu verstehen versuchte, was gerade passiert war, näherte sich ihr schon der nächste Affe. Dieser schien schon alt zu sein, er bewegte sich sehr langsam.

Vertrauensvoll sahen sich die zwei in die Augen. Beide sahen sie Angst und Verständnis. Angst, von anderen Menschen oder Affen verletzt zu werden, aber auch Verständnis dafür, dass aggressive Wesen im Grunde auch nur verletzt und ängstlich sind. Die zwei brauchten keine Worte zu wechseln.

Es tat einfach gut, einen Moment zusammen zu sitzen und eine verwandte Seele zu spüren.

Nach der Tempelbesichtigung entschied sich Sonnja, auf dem nahegelegenen Markt ihr Mittagessen zu kaufen.
Der Markt mit seinem grossen Angebot an allem, was man sich vorstellen kann, zog Sonnja völlig in seinen Bann. Sie war froh, dass ihren Termin beim Meister erst am späteren Nachmittag hatte, so konnte sie sich noch etwas ausruhen und trotzdem rechtzeitig beim Meister sein.
Auch sie wurde von ihm mit einem warmen, strahlenden Lachen empfangen. Dieses Lachen wärmte sie bis auf die Knochen, auf eine Art und Weise, wie sie es sehr lange nicht mehr gespürt hatte.
Der Meister bat sie in seinen Hof und reichte ihr Tee.

Sonnja und der Meister 1

Als Sonnja dem Meister direkt gegenüber sass, wurde es ihr ein wenig mulmig zu Mute. Natürlich hatte sie schon oft von Menschen und ihren Begegnungen mit einem Meister gehört und war immer fasziniert. Doch jetzt sass sie selbst da und wusste auf einmal nichts mehr zu fragen.

Noch während sie sich überlegte, was sie den Meister fragen wollte, begann er zu sprechen: «Liebe Sonnja, du bist ein Sonnenkind, das kann ich sehen. Ich weiss, du hast dich auf den Weg gemacht, weil du dachtest, du hättest die Leichtigkeit des Seins verloren und weil du glaubtest, das Leben mache keinen Sinn, so wie es sich auf dieser Erde abspielt.

Doch wisse; der Sinn ist immer der oder das, was du darin siehst. Wenn du zum Beispiel eine Gartenparty veranstaltest und es genau zu Beginn heftig zu regnen anfängt, kann es sein, dass du dies persönlich nimmst.

Gleichzeitig kann es sein, dass der Bauer sich gerade unglaublich freut und sich bei der Schöpfung für den dringend benötigten Regen bedankt.

Vielleicht denkst du nun; der Regen müsste ja nicht gerade jetzt, zu Beginn deiner Party, fallen, es könnte ja in der Nacht regnen.

Natürlich kann und wird sich das Leben manchmal nach deinen Wünschen und Bedürfnissen richten, manchmal aber auch nicht. Oder doch?

Wie viel von deinem Denken und Fühlen, denkst du, ist dir bewusst und wieviel ist unbewusst?

Wisse, wenn dein Denken wie ein Eisberg ist, welcher aus dem Wasser ragt, dann ist dir jeweils nur die Spitze bewusst. Alles andere, der grösste Teil, liegt unter der Meeresoberfläche, also in deinem Unterbewusstsein, verborgen.

Wenn du nun Angst hast, dass es deine Party einmal mehr

verregnen könnte, und diese Angst stärker ist als deine Hoffnung, es würde diesmal mit der Party im Freien klappen, ist die Wahrscheinlichkeit gross, dass es wieder regnen wird.

Denn für deinen Verstand ist es leichter, dir Bilder von den Ereignissen zu zeigen, welche nicht wunschgemäss verlaufen sind, als sich der Möglichkeit für ein neues, besseres Resultat zu öffnen.

Durch diesen Fokus wird das negative Erlebnis von der Vergangenheit in die Zukunft projiziert. Daher kommt das Sprichwort: Was du ablehnst, bleibt bestehen. Es bleibt so lange bestehen, bis du deinen Fokus änderst.

Das heisst, Punkt eins: Richte deinen Fokus weg vom Wetter, hin zu einer schönen Party und setze keine Bedingungen.

Verstehe, dass es letztendlich nicht vom Wetter abhängt, ob die Gäste gut gelaunt sind und Spass haben.

Punkt zwei: Lädst du die Menschen ein, welche du immer einlädst oder lädst du die Freunde ein, welche du wirklich sehen und dabeihaben willst, oder beides?

Lass dir nicht von deinem Verstand sagen, wen du einladen sollst, was du tun oder wie du es tun sollst. Wähle mit deinem Herzen.

Punkt drei: Wenn du dir Gedanken darüber machst, was die Menschen denken, welche du nicht eingeladen hast, kann es sein, dass du in die Angst gehst. Angst davor, dass sie dich nicht verstehen oder nicht mehr mögen. Doch woher weisst du, ob sie dich grundsätzlich mögen oder verstehen?

Woher weisst du, ob sie gerne an deiner Party teilnehmen möchten, wenn du spürst, dass du sie eigentlich gar nicht einladen möchtest? Was wäre, wenn das Unbehagen gegenseitig wäre und sich die betreffenden Personen sich den Regen gewünscht haben, damit sie nicht zu deiner Party kommen müssen?

Wisse, es geht darum zu verstehen, dass das, was nicht zu deinem höchsten Wohl ist, auch nie zum höchsten Wohl eines anderen sein kann.» Nun schaltete sich Sonnja ein: «Das verstehe ich jetzt nicht. Wenn ich meine beste Freundin aus der Primarschule einlade, weil wir das immer so gemacht haben, wie kann das nicht zu unserem Wohl sein? Natürlich haben wir kaum noch gemeinsame Themen oder Freunde, aber trotzdem freut sie sich bestimmt über die Einladung.»

Der Meister antwortete mit einer Gegenfrage: «Wie fühlst du dich bei einer Party dieser Freundin?» Nun ging Sonnja ein Licht auf. Sie freute sich zwar über die Einladung, doch an der Party fühlte sie sich jeweils etwas fehl am Platz, weil sie kaum jemanden kannte und sich auch nicht wirklich für die Anwesenden interessierte. Schliesslich war sie wegen ihrer Freundin da, doch die hatte, verständlicherweise, kaum Zeit für lange Gespräche.

«Siehst du, darum geht es. Es heisst ja nicht, dass wenn du jemanden nicht zu deiner Party einlädst, du ihn nicht magst. Es geht nur darum, genau zu überlegen, was du willst. Willst du mit ihr in Kontakt bleiben und wenn ja, auf welche Weise?

Genau dasselbe gilt für andere Menschen, insbesondere für deine Verwandtschaft.

Nur weil ihr miteinander verwandt seid, müsst ihr euch noch lange nicht mögen. Es gibt Familien, welche einen tollen Zusammenhalt haben, andere haben diesen nicht. Wo liegt das Problem? Das Problem liegt wiederum in deinem Denken, wie es sein sollte, und genau daraus entsteht deine scheinbare Hilflosigkeit. Du stellst dir immer wieder vor, wie es sein sollte. Du gibst dir alle erdenkliche Mühe, es so anzustellen, dass du allen gerecht wirst. Dabei verlierst du den Fokus und letztendlich dich und deine Wünsche. Am Schluss bist du müde und enttäuscht, denn wieder einmal hast du dich so sehr bemüht und trotzdem waren nicht alle zufrieden. Also merke, sich bemühen ist mühsam.»

Der Meister traf Sonnja mitten ins Herz, sie musste sich sehr bemühen, nicht in Tränen auszubrechen. Der Meister sprach weiter: «Siehst du, gerade bemühst du dich, deine Tränen zu verbergen, doch was ist falsch daran, zu weinen? Weinen ist, genau wie Lachen; eine reinigende Energie. Nichts weiter, kein Problem. Erst wenn du das Weinen als Druckmittel benutzt, oder vor lauter Weinen in eine Opferrolle fällst, dann ist es nicht mehr gut.

Es gilt zu lernen, dies zu verstehen und zu unterscheiden. Manchmal trifft dich etwas mitten ins Herz, dies löst bei dir etwas aus, es will sich etwas erlösen und befreien. Dafür ist sowohl lachen als auch weinen gut.

Beides wohnt hinter derselben Türe. Das heisst, wer sich nicht erlauben kann, zu Weinen, wird irgendwann auch nicht mehr lachen.»

Dies konnte sich Sonnja gut vorstellen, denn früher passierte es ihr oft, dass sie zuerst lachen und dann plötzlich weinen musste oder umgekehrt. Doch woran lag das?

Der Meister sprach: «Beides kommt aus dem Herzen. Das heisst, alles was echt ist, wohnt in deinem Herzen. Krokodilstränen oder hysterisches und heuchlerisches Lachen hingegen sind Reaktionsmuster. Diese geben euch eine Art Sicherheit, weil ihr eure echten Gefühle dahinter verstecken könnt. Doch was ist schlimm an echten Tränen und Wut?»

Auf diese Frage konnte Sonnja keine Antwort finden. Ihr Verstand arbeitete gerade an einem anderen Thema.

Es ging um ihre alte Nachbarin. Sonnja mochte sie eigentlich gerne, oft hatten sie es richtig schön zusammen. Doch manchmal, wenn Sonnja müde oder gerade mit anderen Dingen beschäftigt war, hatte sie keine Lust, sich die Geschichten der Nachbarin anzuhören. Dann fühlte sich Sonnja von der Nachbarin genervt und wich ihr aus. Doch kurz darauf bekam sie ein schlechtes Gewissen, denn sie will die alte Dame nicht im Stich lassen. Sie fühlt sich dazu berufen, ihr zuzuhören und zu helfen. Woran liegt das?

Der Meister sprach: «Was hast du davon, wenn du zu ihr

gehst, obwohl du keine Lust hast?» Sonnja antwortete: «Mein schlechtes Gewissen beruhigt sich. Doch ich fühle auch meinen Widerstand und werde manchmal schon im voraus müde und schlecht gelaunt.»

«Genau», erwiderte der Meister. Und genau diese Geschenke; Widerstand, Lustlosigkeit, Müdigkeit und wer weiss was sonst noch alles, bringst du ihr, unbeabsichtigt, mit. Diese Energie spürt deine Nachbarin, es macht sie unsicher. Daraufhin startet sie ihr persönliches Reaktionsmuster; sie beginnt, sich zu erklären und zu verteidigen. Das heisst, sie beginnt zu erzählen, was in ihrem Leben alles schiefgelaufen ist, um dir zu erklären, warum sie ist, wie sie ist.

Daraufhin startet wiederum dein Reaktionsmuster. Du nervst dich und denkst, dass du dies schon viel zu oft gehört hast. Es nervt dich, dass sie sich, aus deiner Sicht, ständig entschuldigt, verteidigt und erklärt und dass sie nicht zu verstehen scheint, dass sie gut ist, so wie sie ist. Am Schluss seid ihr beide unzufrieden.»

«Ich weiss», erwiderte Sonnja mit resignierter Mine, «aber was kann ich denn dagegen machen?» «Lass die Dinge so sein, wie sie sind. Akzeptiere was ist und versuche es nicht zu ändern.

Akzeptiere, dass wenn du keine Lust hast, mit der Nachbarin Zeit zu verbringen, es ehrlicher wäre, ihr dies zu sagen oder dir zumindest eine Entschuldigung für dein Nichterscheinen auszudenken. Vielleicht ist sie sogar froh, wenn du nicht kommst, denn glaube mir; auch sie spürt dein Unbehagen. Was euch nämlich beiden nicht bewusst ist, ist, dass ihr beide noch nicht wirklich begriffen habt, dass ihr in jedem Moment genau richtig und wichtig seid, so wie ihr seid. Unabhängig davon, was ihr tut oder nicht tut.»

«Aber ich kann sie doch nicht einfach hängen lassen», erwiderte Sonnja. «Das musst du auch nicht», antwortete der Meister, «Sobald du dich von dem Gedanken löst, dass du dich um sie kümmern musst, verschwindet dein Widerstand und plötzlich besuchst du sie wieder gerne.»

«Und was, wenn nicht?», fragte Sonnja besorgt.

«Dann findet sich jemand anderes, der es vielleicht schon lange gerne tun wollte, dir aber nicht in die Quere kommen wollte. Versuche zu verstehen; wenn du einen Impuls aus deinem Herzen heraus spürst, wirst du wissen, wie und wann etwas zu tun ist. Wenn du keinen positiven Impuls hast, dann tu nichts, im Wissen, es ist nicht deines.»

Nach diesem intensiven Gespräch brauchte Sonnja eine Pause. Der Meister riet ihr, nun zu gehen und das Ganze erstmal auf sich wirken zu lassen. Er versicherte ihr, wenn sie noch Fragen hätte, dürfe sie in den nächsten Tagen gerne wieder kommen.

Etwas benommen trat Sonnja auf die Strasse und lief dabei fast in ein Motorrad. Dies zeigte ihr, dass es Zeit war, zurück in ihr Hotel zu gehen und sich erstmal gründlich auszuruhen.

Vor dem Einschlafen versuchte sie, das Gehörte zusammenzufassen. Dabei erinnerte sie sich auch an viele Dinge, welche sie schon aus anderen Begegnungen gelernt hatte.

Sie schrieb in ihr Heft:

Zusammenfassung des neu Erlernten

1. Sich bemühen ist mühsam. Wenn ich mich bemühe, bin ich nicht authentisch, sondern ich versuche, den Erwartungen meiner Mitmenschen und meines Verstandes zu entsprechen.

2. Wenn ich denke, dass ich etwas tun muss, erzeugt dies Widerstand. Dadurch verliere ich die Lust, es zu tun, egal ob es mir grundsätzlich Freude macht oder nicht.
Dieser Widerstand ist ein Reaktionsmuster, eine Art Trotzreaktion. Ich darf lernen, meinen Widerstand anzuschauen und herauszufinden, ob er mir gerade hilft, für mich zu sorgen, oder ob er mich davon abhält.

3. Ein Reaktionsmuster ist eine Art Schutzmechanismus. Es lohnt sich, Reaktionsmuster immer mal wieder auf ihren Nutzen zu überprüfen. Denn es kann sein, dass Schutzmechanismen, welche mir früher gedient haben, mich heute behindern.

4. Meine Vorstellung davon, wie etwas sein sollte, hält mich davon ab, zu dem Ja zu sagen, was gerade ist.
Dabei verpasse ich das Leben und seine Geschenke im Jetzt.

5. Wenn ich versuche, das Verhalten meiner Mitmenschen zu verändern, mische ich mich in ihren Lebensplan ein. Ich versuche, ihr Boot zu rudern und verliere meines aus den Augen.

6. Dieselbe göttliche Schöpferintelligenz, welche mich liebevoll leitet und führt, tut dies auch für meine Mitmenschen. Immer.
Das bedeutet, dass ich nicht wissen kann, was meine Mitmenschen brauchen, oder warum sie etwas tun. Der Mensch denkt und Gott lenkt.

7. Das Leben findet statt, während wir Menschen Pläne machen.

Als Sonnja den letzten Punkt aufschrieb, wurde ihr klar, was sie den Meister unbedingt noch Fragen wollte.

Dies gab ihr so viel Energie, dass sie am liebsten gleich losgelaufen wäre. Doch inzwischen war es Nacht und Zeit zum Schlafen.

Als Sonnja am nächsten Morgen aufwachte, wusste sie, dass sie sehr viel geträumt hatte, doch was es war, hatte sie leider vergessen.
Schnell sprang sie unter die Dusche und gönnte sich danach nur ein kurzes Frühstück, denn sie wollte sich so schnell wie möglich wieder auf den Weg zum Meister zu machen.

Sonnja und der Meister 2

Als sie beim Meister ankam, stand er bereits am Eingangstor und lächelte sie an. Etwas erstaunt sah Sonnja den Meister an. Ob das Zufall war? Das Lächeln des Meisters wurde noch breiter, als er zu sprechen begann: «Du hast mich gerufen, ich bin da.» Ohne Worte führte er sie an einen ruhigen Platz in seinem Garten. Die Temperaturen am frühen Morgen waren mild. Die Sonne brannte noch nicht so heiss vom Himmel, alles erschien Sonnja wunderschön.

Gemeinsam genossen sie eine Weile den Augenblick und die Ruhe. Während sie so dasassen, spürte Sonnja wieder, wie sich etwas in ihr veränderte. Sie nahm wahr, wie sich ihr Herz weit öffnete. Doch entgegen ihrer Erwartungen, spürte sie auf einmal ganz viel Trauer.

Diesmal erlaubte sie sich, ihren Tränen freien Lauf zu lassen. Irgendwann versiegten die Tränen, auf ihrem Gesicht erschien ein Lächeln. Der Meister sah sie nur an und sagte nichts.

Nun begann es in Sonnjas Kopf zu rattern. Was war nur los mit ihr? Zuerst ging ihr das Herz auf, dann begann sie zu weinen, so plötzlich wie die Trauer gekommen war, war sie wieder weg und jetzt muss sie lachen? Wie konnte das sein? Was machte dieser Meister mit ihr?

Der Meister sprach: «Liebe Sonnja, ich mache gar nichts. Doch heute bist du bereit, es geschehen zu lassen. *Es* ist das, was sich gerade durch dich zeigen will. Manchmal ist es Trauer, manchmal Wut oder etwas anderes. Indem du dieser Energie freien Lauf lässt, kann sie sich befreien. Das gibt Platz für Neues. Wut ist nichts anderes als eine gesunde Kraft. Wende sie destruktiv gegen andere oder gegen dich und es geht dir schlecht. Verwendest du sie aber dazu, dir Raum zu verschaffen, für das was dir wichtig ist, weil es aus deinem Herzen und deiner Seele kommt, dann ist es eine gute, manchmal sogar eine überlebensnotwendige Kraft.

Also schaue sie dir immer wieder an. Liebe sie, sie ist ein Teil von dir. Gib ihr Raum und Zeit, höre dir an, was sie braucht. Ich sage nicht, dass das leicht ist.

Es ist aber auch nicht leicht, sich ständig unterzuordnen und seine eigene Kraft und die dazugehörenden Impulse zu unterdrücken. Dies gibt dir ein Gefühl von Machtlosigkeit, ist ungesund, macht dich müde und mit der Zeit krank.

Dieses Gefühl von Machtlosigkeit führt aber hoffentlich dazu, dass du noch mehr in deine Wut, und somit in deine Kraft für einen Befreiungsschlag, kommst.

So gesehen wäre eine Krankheit sogar sinnvoll.

Frage dich selbst, wozu du deine Energie nutzen würdest, wenn du unbeschränkt Energie zur Verfügung hättest.

Beginne, deinen Fokus und die Energie von dort weg zu nehmen, wo sie nicht zwingend gebraucht werden. Richte diese frei gewordene Energie auf deinen Herzenswunsch. Tu Schritt für Schritt, was möglich ist, anstatt dich von dem abhalten zu lassen, was im Jetzt gerade noch nicht möglich ist».

«Und wozu ist die Trauer gut?», fragte Sonnja. «Die Trauer zeigt dir, dass du dir selbst etwas nicht gibst, was für dich wichtig ist. Somit sind wir bei der Frage, welche du mir eigentlich stellen wolltest. Eigentlich wolltest du doch wissen, wie du herausfinden kannst, was dein Lebensplan ist. Wo du deine Kreativität und Kraft hinlenken sollst, wenn du nicht weisst, was dein Seelenplan ist und du nichts falsch machen willst.

Du hast gelernt, dass die Seele den Plan kennt, doch wie sollst du ihr folgen, wenn du den Plan nicht zu kennen glaubst?

Du weisst, das Leben findet statt, während der Mensch Pläne macht; du hast aber gemerkt, ohne Plan kommst du meist nicht weit.»

Wieder schaute Sonnja den Meister völlig verblüfft an. Wie konnte es sein, dass er dies alles wusste, obwohl er sie doch gar nicht kannte?

Manchmal hatte Sonnja das Gefühl, egal wie sehr sie sich bemühte, egal wie viel sie lernte und umsetzte; es reichte einfach nie. Sie ist einfach zu doof, um zu kapieren, worum es im Leben wirklich geht. Und so war sie wieder am Anfang.

Noch immer suchte sie nach dem Sinn des Lebens.

Der Meister holte sie aus ihren Gedanken zurück, indem er sprach: «Liebe Sonnja, solange du denkst, das Leben hätte einen Sinn, solange wirst du ihn suchen. Jedes Mal, wenn du am Suchen bist, bist du nicht im gegenwärtigen Augenblick.

Du denkst, du müsstest etwas verändern. Du denkst, es gäbe ausserhalb von dir etwas und wenn du es finden könntest, wäre in deinem Leben Friede und Ruhe. Doch dem ist nicht so.

Der einzige Sinn deines Lebens ist, es zu leben. Das Leben schenkt dir in jedem Augenblick genau das, was du brauchst; um zu erkennen, um zu wachsen und um zu geniessen.

Wie du weisst, haben Freude, Liebe und von Herzen Geniessen hohe Schwingungen. Hohe Schwingungen verbreiten wiederum Freude und Liebe und fördern Zufriedenheit, Verständnis und Gesundheit. Daraus entsteht Nächstenliebe, denn wie kannst du deinen Nächsten nicht lieben, wenn du überfliesst vor Freude und Liebe und wie könnten dich andere in diesem Zustand nicht lieben?

Doch mit diesem Zustand ist es wie mit der Sonne. Nicht alle vertragen gleich viel davon.»

Während sich Sonnja überlegte, worauf der Meister jetzt wieder hinaus wollte, begann es ihr zu dämmern. Der Eisbär und der Frosch waren verschieden Tiere und hatten verschieden Bedürfnisse.

Der Meister lachte und sprach: «Denkst du, den Eisbären interessiert es, was der Frosch denkt? Die zwei kennen sich nicht einmal, denn höchst wahrscheinlich sind sie sich nie begegnet und wissen nicht einmal, dass es den anderen gibt. Bei euch Menschen ist dies anders. Ihr wisst; im Grunde seid ihr alle eine Familie, alle voneinander abhängig. Die Tiere, die Natur und der Mensch, alles hängt voneinander ab und doch rudert jeder sein eigenes Boot.

Die Natur und die Tiere sind einfach. Es geschieht, was geschehen soll. Aktion und Reaktion, aus einem natürlichen Gesetzt der Schöpfung heraus.

Das Tier kann nicht über seine Reaktionen nachdenken, der Mensch aber schon. Somit hat der Mensch viel mehr Verantwortung. Dies wiederum führt dazu, dass er denkt, er muss dies und jenes tun, um voran zu kommen, viel Geld zu verdienen, die Welt zu retten, oder was auch immer er denkt, tun zu müssen.

Doch müssen erzeugt Widerstand und so seid ihr immer wieder im Kampf mit euren Wünschen und Bedürfnissen, mit dem was man tun sollte, dem was ihr denkt tun zu müssen und euren wirklichen Bedürfnissen.

An dem Tag, an dem der Mensch merkt, dass er nichts tun muss, aber alles darf, wird es leichter. An dem Tag, an dem du dich so sein lassen kannst, wie du bist, kannst du auch die anderen sein lassen, wie sie sind.

Das heisst, du hörst auf zu kämpfen. An dem Tag, an dem du erkennst, dass die Seele den Plan kennt, brauchst du nicht mehr um Liebe und Anerkennung zu kämpfen, denn du weisst, du bist unendlich geliebt und geschätzt.

Von der Schöpfung, welche dir in jedem Moment das zur Verfügung stellt, was du brauchst, um zu lernen und zu wachsen. Und zwar nirgendwo anders als immer hier und immer jetzt.

Erinnere dich, es gibt für dich und deinen Körper keine andere Zeit und keinen Ort, wo du tatsächlich sein kannst, ausser im Hier und Jetzt.

Verstehe, deine Gefühle folgen deinem Verstand. Deine Visionen kreieren Bilder, wie etwas sein könnte, doch der erste Schritt ist noch immer hier und jetzt. Es gibt keinen anderen Startpunkt als hier und jetzt.

Das heisst, wenn du etwas anders tun oder haben willst, ausserhalb von dem was hier und jetzt möglich ist, bist du nicht im Plan.

Im Plan ist all das, was hier und jetzt machbar und möglich ist. Was das ist, hängt wiederum von deinem Denken ab, davon, was du dir zutraust. Aber denke nicht zu weit und nicht zuviel, denn wisse, es geht immer nur um den ersten Schritt, hier und jetzt.»

Sonnja leuchtete dies alles ein, doch ihr Verstand gab sich noch nicht zufrieden. Sie fragte den Meister: «Wenn dies alles so logisch und einfach ist, warum haben wir Menschen dann so viele Probleme und Stress?»

Der Meister schaute ihr lange und tief in die Augen, sodass Sonja sich die Antwort gleich selbst geben konnte. Es fehlte ihr oft an Vertrauen. An manchen Tagen ging es zwar gut, an anderen wieder gar nicht.

Als letztes sprach der Meister: «Halte dich stets an das, was dir dein Herz öffnet und dir ein Lächeln ins Gesicht zaubert und wenn es einmal nichts zu lachen gibt, wisse, auch das geht vorbei.

Richte deinen Fokus immer wieder auf die guten Dinge. Dinge, welche du erlebt hast, oder gerade gut sind. So fütterst du deinen weissen Wolf, den zuversichtlichen, aktiven, hilfsbereiten Teil in dir. Er schenkt dir Energie und gute Ideen.

Wann immer du deinen Fokus auf etwas Negatives richtest, fütterst du den schwarzen Wolf, den pessimistischen, schwarzmalenden Widerstand in dir. Er macht dich müde und nimmt dir jeglichen Tatendrang.

Natürlich hat auch er seine Daseinsberechtigung. Er hilft dir, manche Dinge nochmal genau zu überprüfen und bewahrt dich

vor Schnellschüssen. Nimm ihn an die Hand und gib ihm all deine Liebe. Höre ihm gut zu und schaue, was er braucht. Wisse, dass er dich schützen will, nur weiss er manchmal nicht wie.
Wenn du dir seine Bedenken und Ängste anhörst, kannst du schauen, ob sie im Hier und Jetzt noch relevant sind. So kannst du deine Angst und deinen Widerstand transformieren.»

Der Meister stand auf, legte seine Hände zusammen und vor sein Herz und verbeugte sich vor Sonnja. Dies war das Zeichen, dass die Sitzung beendet war.
Sonnja bedankte sich und verbeugte sich ebenso.
Ihr Gehirn fühlte sich leer an. Sie war müde und ihr Verstand auf wundersame Weise still. Es erschien ihr, als ob die ständig ratternde Festplatte in ihrem Gehirn gelöscht wurde.
Schweigsam machte sie sich auf den Rückweg.

Zurück im Hotel, wollte sie sich eigentlich nur kurz hinlegen, doch als sie wieder aufwachte, war es bereits Abend.
Sonnja spürte, dass ihr der Magen knurrte, hatte aber keine Lust, sich hübsch zu machen und in den Speisesaal zu gehen. Also kaufte sie sich ihr Abendessen auf dem Nachtmarkt in der Nähe des Hotels. Nach dem Essen setzte sie sich an den inzwischen menschenleeren Strand und genoss das leise Plätschern der Wellen und die Weite des Sternenhimmels.

Auch am nächsten Morgen hatte Sonnja noch keine Lust zum Denken oder Sprechen, so griff sie zum Reisführer und schaute, was sie heute tun könnte.
Ihr Augenmerk viel auf folgenden Bericht: Serangan, Turtle Conservation and Education Center. «Fernab vom Tourismus, kannst du dir hier ein tolles Projekt ansehen und zum krönenden Abschluss eine Baby-Schildkröte adoptieren und im Meer frei lassen.»
Diese Idee gefiel ihr. Da die Schildkrötenstation nur etwa 30 Kilometer von Sanur entfernt war, entschied sie sich, einen Roller zu mieten.

Der Vermieter erzählte Sonnja, dass diese Station von einheimischen Balinesen, sowie einigen Freiwilligen aus aller Welt betrieben und zusätzlich vom Staat gefördert wird. So können jährlich mehrere tausend Schildkröten an einem sicheren Ort schlüpfen.
Kranke und verletzte Schildkröten werden eingesammelt und gesund gepflegt.
Die Schildkrötenschutzstation wurde 2006 gegründet und möchte die Schildkröten von Bali vor dem Aussterben bewahren. Er erzählte ihr auch, dass es in Bali fünf der insgesamt sechs Schildkrötenarten weltweit gibt und daher der Schildkrötenschutz hier einen hohen Stellenwert hat.

Sonnja freute sich über die vielen Informationen, doch nun wollte sie los, um sich alles mit eigenen Augen anzusehen.

Zuerst musste sie sich etwas an den Roller und den Fahrstiel der einheimischen Bevölkerung gewöhnen, doch je länger sie fuhr, desto mehr Spass machte es ihr. Sie fühlte sich in ihre Jugend zurückversetzt, als sie, mit ihrem damals orangen Mofa, eine neue Welt für sich entdeckte.
Nach einer halben Stunde Fahrzeit erreichte sie Serangan.
Der Weg zur Auffangstation war zum Glück gut beschildert, so fand sie ihr Ziel mühelos.

Als erstes besichtigte sie die Brutstation, eine grosse Sandfläche mit verschiedenen, eingezäunten Plätzen. Auf den dazugehörigen Schildern war zu lesen, wie viele Schildkröteneier dort lagen und wann die Babys ausschlüpfen werden.
Dann zeigte ihr ein Guide verschiedene ausgewachsene Schildkröten. Er erzählte, wann und wo diese gefunden worden sind, welche bald wieder in die Freiheit entlassen werden konnten, und welche infolge ihrer schweren Verletzungen in der Freiheit nicht mehr überlebensfähig waren.
Danach führte er sie zu den Becken mit den Babyschildkröten. Bei den verschiedenen Becken konnte man lesen, wann die Babys zur Welt gekommen waren. Sobald sie zwei Wochen alt waren, konnten sie adoptiert und ins Meer entlassen werden.

Anschliessend liess der Guide Sonnja für eine Weile allein, damit sie sich in Ruhe eine kleine Schildkröte aussuchen konnte.
Während sie sich für eine entschied, wusste sie sogleich, dass sie die kleine Schildkröte Isabel taufen wollte.

Sicherheit oder Freiheit?

Die kleine Wasserschildkröte wusste, dass sie in einem asiatischen Land namens Bali in einer Auffangstation lebte. Dies wurde ihr von den älteren Schildkröten, welche schon lange dort lebten, erzählt.

Des Weiteren wurde ihr erzählt, dass die Schildkrötenbabys, nachdem sie zwei Wochen alt waren, von Touristen adoptiert und ins Meer und somit in die Freiheit entlassen wurden.

Isabel konnte mit all diesen Worten nichts anfangen. Menschen, das wusste sie, waren diese langen Dinger, welche auf zwei anderen langen Dingern, welche sie Beine nannten, gehen konnten. Aber warum die einen Touristen und die anderen Ranger hiessen, und alle nochmal einen anderen Namen hatten, das verstand Isabel nicht. Für sie sahen alle in etwa gleich aus. Sie wusste auch nicht, was Meer oder Freiheit bedeutet, denn sie kannte nur diesen Ort, wo sie geschlüpft war, nämlich hier.

Hier gab es frisches Wasser und Menschen, welche ihr und ihren Freunden Futter brachten. Sie hatten genug Platz zum Schwimmen und viel Zeit zum Spielen und Schlafen. Was brauchten sie mehr? Was war wohl der Unterschied zum Meer? Die älteren, verletzten Schildkröten, welche hier stationiert waren, jammerten, sie wollten unbedingt wieder zurück in diese Freiheit, ins Meer, mit all seiner Schönheit und den vielen Abenteuern.

Isabel konnte sich nur schwer vorstellen, wie es dort sein wird, in dieser Freiheit, doch eines wusste sie genau: Morgen war ihr zweiter Wochengeburtstag und dann durfte sie schon bald ins Meer.

Doch kaum erzählte sie die gute Neuigkeit, voller Vorfreude, den Grossen, kamen sie mit tausend Warnungen daher.

Sie erzählten von Menschen, welche scheinbar Suppen aus

Schildkrötenfleisch machten und die Panzer zu Geschenken verarbeiteten. Sie warnten die kleine Isabel vor grossen, fliegenden Tieren, welche kleine Wasserschildkröten frassen. Von Fischerboten, welche Schildkröten mit Netzen fingen und von etwas mit dem Namen Plastik, worin man sich verfangen oder ersticken konnte.

Irgendwie war das Ganze schon komisch. Zuerst schwärmten alle von diesem wunderschönen Meer, mit seiner Weite, den vielen Farben, Korallen und Lebewesen, doch kaum erfuhren sie, dass Isabel nun in die Freiheit durfte, war plötzlich alles anders.

Alles wurde bedrohlich, überall lauerte Gefahr. War das Freiheit? Isabel wusste es nicht, denn sie hatte es ja noch nicht erlebt.

Als am nächsten Tag ein langer Mensch mit einem Eimer kam, schwamm Isabel schnell hinein, denn sie wusste, heute war sie alt genug; heute wollte sie hier raus.

Ihre kleinen Freunde riefen ihr nach: «Nein Isabel, bleib hier, draussen in der Welt ist es gefährlich, sie verarbeiten dich zu Suppe.»

Doch dies hörte Isabel schon nicht mehr. Sie freute sich auf das Abenteuer. Eigentlich kannte sie auch dieses Wort nicht, sie hatte es erst gerade von einem Menschen aufgeschnappt. Was sie aber spürte, war, dass ihr kleines Herz bis zum Hals schlug und dass sie ein lustiges Kribbeln im Bauch hatte. Dieses Gefühl hatte sie an ihrem sicheren Ort noch nie.

Jetzt sprach jemand zu ihr. Isabel verstand zwar kein Wort, doch was diese Menschin sagte, fühlte sich schön an. Ihre Stimme klang lieb und auch etwas kribbelig, genau wie das Gefühl in Isabels eigenem Bauch.

Was Isabel nicht wusste, war, dass sie gerade von Sonnja adoptiert und gleich ins Meer entlassen wurde. Was sie spürte, war die Aufregung von Sonnja. Sonnja hatte noch nie eine Wasserschildkröte adoptiert. Sie wollte der Kleinen eine Freude machen und freute sich selbst sehr, dass die Kleine nun in die Freiheit durfte.

Doch Sonnja war ein Mensch und sie hatte schon viel gelesen und erlebt. Sie wusste um die Gefahren, welche im Leben dieser kleinen Wasserschildkröte lauerten. Doch ob all dieser Gefahren wusste Sonnja auch, dass das Leben dazu da war, es zu erleben. Plötzlich spürte Isabel, wie ihre momentane Behausung gekippt wurde. Nun befand sie sich in einem anderen Wasser. Es schmeckte salzig, aber gut. Dieses Wasser war lustig. Es schaukelte und trieb die kleine Isabel fort.

Noch während sich Isabel überlegte, ob sie das wollte, nahmen die Wellen die Kleine einfach mit. Isabel war zugleich aufgeregt, ängstlich und fasziniert. Sie hatte keine Ahnung, wo dies alles hinführen würde, aber zum Glück war sie ja eine Schildkröte und konnte daher nicht in die Zukunft denken. Wie auch, sie war ja noch nie in der Zukunft gewesen, woher sollte sie wissen, was dort los war.

Als die nächste Welle sie noch ein Stück weiter forttrug, kam ihr etwas in den Sinn, was sie in der Station gehört, aber bisher nicht verstanden hatte. Jemand sagte; das Leben findet statt, während der Mensch Pläne macht. Ob das etwas mit dem zu tun hatte, was sie gerade erlebte?

Kaum hatte die Kleine diesen Gedanken zu Ende gedacht, wurde ihre Aufmerksamkeit auf eine sandige Fläche gelenkt. Sie hatte plötzlich ungewohnt weichen Boden unter den Flossen.

Das Wasser spülte sanft über ihren Körper und überall schwammen kleine Köstlichkeiten. In diesem Augenblick waren alle Gedanken in Isabels Kopf wie weggewischt. Sie genoss jeden Augenblick ohne Wenn und Aber und liess sich all die Köstlichkeiten schmecken.

Und Sonnja? Sie versuchte, sich keine Sorgen um Isabel zu machen. Sie beruhigte sich mit dem Gedanken, dass es nicht so wichtig war, wie lange oder wie kurz das Leben von Isabel sein würde. Hauptsache, sie konnte nun all die wunderschönen Dinge, welche die Natur zu bieten hatte, erleben und geniessen.

Auf dem Rückweg zur Unterkunft dachte Sonnja noch eine Weile über das Erlebte nach. War Freiheit das Gegenteil von Sicherheit? Bedeutete Sicherheit die Abwesenheit von Freiheit?
Wie war es mit Kompromissen? Lohnte es sich, Kompromisse in Bezug auf die Freiheit, zugunsten der Sicherheit, zu machen oder umgekehrt?
Was war denn überhaupt Freiheit?
Schon wieder ratterte ihr Gedankenkino auf Hochtouren. Da besann sich Sonnja der Worte des Meisters, welche er ihr zum Abschied mitgegeben hatte. «Freiheit beginnt im Kopf. Fühle dich gefangen und du wirst tausend Gründe finden, dich gefangen zu fühlen. Fühle dich frei und du siehst überall Freiheit.»
Das musste wohl etwas damit zu tun haben, worauf man seinen Fokus richtete und damit, was alles zur Auswahl stand.
Noch immer produzierte ihr Verstand pausenlos Gedanken, doch nun liess sie ihn einfach rattern. Sie war müde und glücklich, hatte einen wunderschönen Tag gehabt und wollte diesen im Hotel mit einem schönen Nachtessen ausklingen lassen.
Eigentlich hatte Sonnja das Gefühl, dass es langsam Zeit für die Heimreise war; sie vermisste ihre Familie. Andererseits war sie sich doch nicht sicher, denn sie wollte auf keinen Fall etwas Wichtiges verpassen.

Als sie am nächsten Morgen aufwachte, hatte sie überhaupt keine Lust, aus dem Bett zu steigen. Es war schon spät und ein leckeres Frühstück wartete auf sie, doch neben ihr im Bett lag ein alter Bekannter, welcher sie immer wieder besuchte, nämlich ihr Widerstand. Er flüsterte ihr ins Ohr, sie solle lieber im Bett bleiben, es mache ja sowieso keinen Sinn aufzustehen, wenn sie eh nicht weiss, was sie heute tun will. Eine Weile hörte Sonnja ihm zu, doch dann stand sie auf, ging zum Frühstück und danach zum Strand.

Kurz darauf entschied sie sich, doch lieber zum Markt zu gehen. Sie wollte Geschenke für die Familie kaufen, doch sie konnte sich für nichts entscheiden. Der Tag floss dahin, aber irgendwie passte heute einfach gar nichts.

Sonnja und der Widerstand

An manchen Tagen fragte sich Sonnja, ob sie zur richtigen Zeit am richtigen Ort war. Ob es besser war, hier oder dort zu sein. Etwas zu tun, oder es doch besser zu lassen.

An diesen Tagen hatte sie, was immer sie auch tat, wo immer sie auch hin ging, einen ständigen Begleiter; ihren Widerstand.

An anderen Tagen ging sie ihren Weg, machte ihr Ding, alles war ruhig, klar, lief wie von selbst. Doch kaum war da etwas Freiraum und Zeit um über etwas nachzudenken, war er da und startbereit.

Er liebte es, ihr alles genau zu erklären. Was er gut fand und was nicht, warum er irgendwohin wollte oder warum nicht.

Oft hörte ihm Sonja zu. Dies verwirrte sie immer wieder und konnte dazu führen, dass sie gar nichts mehr tat. Der Widerstand brachte sie so aus dem Konzept, dass sie letztendlich keine Energie mehr hatte, überhaupt etwas zu tun.

Doch heute wurde ihr das entschieden zu blöd. Sie packte den Widerstand an der Hand und befahl ihm, ihr einmal zuzuhören. Nun war der Widerstand etwas verwirrt. Normalerweise wollte ihn Sonja immer weghaben, doch jetzt wollte sie mit ihm sprechen? Sonja erklärte ihm, dass er sie sehr müde mache und sie wolle wissen warum.

Der Widerstand schaute sie nur trotzig an und zuckte mit den Schultern. Doch diesmal liess Sonja nicht locker. Sie fragte den Widerstand: «Warst du schon immer so gemein?» «Wieso gemein», erwiderte der Widerstand, «Ich bewahre dich nur vor Dummheiten. Man könnte sogar sagen, ich beschütze dich vor Fehlverhalten». Sonja stutzte und dachte einen Augenblick nach. Dann erwiderte sie: «Woher weisst du, wann ein Verhalten richtig ist und wann falsch?»

«Ich sehe doch, wie dumm du dich immer wieder anstellst, wie sehr du dir immer wieder selbst im Wege stehst.» Jetzt war Sonnja vollends verwirrt und da fiel es ihr wie Schuppen von den Augen. Da war es wieder, jetzt tat er es genau wieder. Er verwirrte sie, nur um sie als dumm, unfähig und unschlüssig hinzustellen.

Er gab ihr das Gefühl, nichts auf die Reihe zu kriegen und dies unter dem Deckmantel, sie zu schützen? Geht's eigentlich noch? Sonnja wurde richtig wütend und funkelte den Widerstand böse an. Jetzt wurde der Widerstand ganz klein und erwiderte: «Ich wollte doch nur helfen. Als du klein warst, hast du mich wegge-drängt; du wolltest immer lieb und hilfsbereit sein.

Du wolltest allen gefallen und machtest immer das, was man von dir wollte. Eine Weile mochte dies nützlich sein, ich liess es also zu.

Später begann ich, dich immer mehr auszubremsen, damit du dich nicht ständig übergehst und übernimmst. Doch nie hast du auf mich gehört. Egal wie müde oder wie krank ich dich gemacht habe, nie konntest du aufhören, für andere da zu sein und dich dabei zu übergehen».

Da hatte der Widerstand wohl recht, dieser Punkt ging an ihn. Doch wie konnte es sein, dass er nun sie überging? Dass er nicht auf ihre Wünsche Rücksicht nahm, jetzt wo sie doch für sich einstand?

«Du stehst für dich ein?» fragte der Widerstand. «Dass ich nicht lache. Hast du schon mal bemerkt, wie oft du dich grundlos fertig machst? Wie oft du mich grundlos beschimpfst, weil du denkst, dass ich dich daran hindere, Geld zu verdienen, viel zu arbeiten, erfolgreich zu sein? Dich daran hindere, am Morgen, wie alle anderen früh aufzustehen?

Wenn du dich verschläfst, machst du uns deswegen fertig, obwohl es keinen Grund gibt, weil dies nur an Tagen passiert, an welchen du morgens keine Termine hast. Aber keine Termine haben, geht für dich gar nicht, denn wie stehst du denn da, wenn in deiner Agenda grosse Lücken sind? Wenn alle so beschäftigt sind, nur du nicht?

Ist dir schon mal aufgefallen, wie leicht du inzwischen alles erledigst? Wie leicht dir alles in die Hände fällt, was du brauchst?

Sei es die benötigten Trekkingschuhe, der perfekte Rucksack oder die Regenjacke, welche du schon lange kaufen wolltest?

Du gehst irgendwohin, schaust dich einmal um und alles ist da. Früher hast du oft tagelang nach dem passenden Ding gesucht, jetzt fällt es dir praktisch in die Hände. Was willst du noch mehr? Bist du jetzt unzufrieden, weil du zuviel Zeit zum Geniessen hast? Sag mal, geht's noch?»

Etwas zerknirscht musste Sonnja zugeben, dass auch dieser Punkt an den Widerstand ging. Dies musste sie sich erst einmal durch den Kopf gehen lassen.

Konnte es sein, dass sie oftmals so unzufrieden und undankbar war, weil ihr Leben so gut lief und sie das Gefühl hatte, dass sie kaum etwas dafür tun musste?

War es denn gerecht, dass sie das Leben so sehr geniessen durfte, während andere den ganzen Tag arbeiten und Geld verdienen mussten?

Natürlich war es nicht so, dass sie überhaupt nicht arbeitete, aber manchmal hatte sie schon das Gefühl, es sei nicht genug.

Wenn sie ihre Monatsabrechnungen sah, wusste sie, dass sie ohne ihren Mann nicht das Leben führen könnte, welches sie führte.

Es war ihr aber auch bewusst, dass er sein Leben ohne sie auch anders führen müsste. Er müsste vieles selbst erledigen, worum sie sich kümmerte. Doch jetzt war sie auf dieser Reise und er allein zuhause. Obwohl er es genoss und sie auch, spürten beide, dass sie sich vermissten. Plötzlich spürte Sonnja ganz klar, was zu tun war. Sie wollte nach Hause zu ihrer Familie.

Ob all diesen Gedanken hatte sie den Widerstand ganz vergessen. Als sie nach ihm Ausschau hielt, sah sie erstaunt, dass er zufrieden in einem Schaukelstuhl sass und ein Buch las. Dieser Anblick war so komisch, dass Sonnja laut lachen musste. Der Widerstand wurde etwas verlegen und rot. Er sprach: «Eigentlich bin ich eine Art innere Stimme. Ich reflektiere dir deine Zerrissenheit. Als Kind hast du gelernt, und es dir zur Aufgabe gemacht, dich anzupassen. Merke, DU hast es dir zur Aufgabe gemacht, dich anzupassen.

Natürlich gab und gibt es immer wieder Momente, in denen du nicht anders konntest oder kannst, weil dir eine Situation oder ein Gesetz keine andere Möglichkeit lässt. Doch wisse; oft bist du noch immer im Reaktionsmodus vom Gefallen wollen oder es richtig machen wollen.

Noch immer willst du es am liebsten allen Recht machen. Doch woher weisst du, was richtig und was falsch ist?

Wenn du in diesem Reaktionsmodus bist, treibe ich dich an. Ich gebe dir das Gefühl, dass egal was du tust, es nie das Richtige und nie genug ist».

«Wieso tust du das?», fragte Sonnja, «Damit machst du ja alles noch viel schlimmer». «Genau», erwiderte der Widerstand. «Ich verstärke deinen Stress, welcher entsteht, wenn du immer lieb sein und alles richtig machen möchtest.

Denn wie willst du wissen, was das Leben von DIR will, wenn du ständig versuchst, den anderen zu genügen und zu gefallen? Hast du das Gefühl, die Schöpfung hat die Menschen einzigartig gemacht, damit sie sich ihr Leben lang damit abmühen, sich anzugleichen, um zu genügen?»

Der Widerstand schüttelte etwas resigniert und verständnislos den Kopf. «Genügen, wenn ich dieses Wort nur schon höre, bekomme ich Ausschläge. Ihr Menschen seid da, um zu kreieren, um euch selbst zu erschaffen, euch zu dem zu machen, was ihr seid und was euch ausmacht.

Wie wollt ihr das herausfinden, wenn ihr euch ständig anpasst? Euch ständig um die Meinungen und Kommentare eurer

Mitmenschen schert? Ihr träumt vom Ausbrechen in eine neue Welt. Wie soll dies gehen, wenn ihr euch ständig an die Regeln der Alten und der Vorfahren hält?

Natürlich sind die Alten und die Vorfahren wichtig, denn sie können euch viel von ihren Erfahrungen erzählen. Darüber was bei ihnen funktionierte und was nicht. Doch wisse, nur weil bei den Vögeln der Nestbau funktioniert, heisst es nicht, dass es bei der Giraffe auch geht. Stell dir mal vor, ein Giraffenbaby würde in einer Baumkrone zur Welt kommen; wie sollte es da je herunter kommen. Die Giraffe mit ihrem langen Hals könnte es zwar füttern, doch sie könnte es nur schwerlich oder gar nicht aus der Baumkrone und auf die Erde bringen.»

Zuerst musste Sonnja bei dieser Vorstellung lachen, doch dann wurde sie nachdenklich. Sie erinnerte sich an einen Satz von Albert Einstein, welcher besagt: «Jeder ist ein Genie. Aber wenn du einen Fisch danach bewertest, ob er auf einen Baum klettern kann, dann lebt er sein ganzes Leben im Glauben, er wäre dumm.»

Dies hatte sie schon lange verstanden, doch was hatte das mit ihrem Widerstand zu tun? «Wie kannst du ständig auf deinen Verstand hören, ohne zuerst einmal herauszufinden, wer du überhaupt bist? Wie kannst du wissen, was für ein Tier du bist, wenn du immer wieder andere nachzuahmen versuchst?», fragte der Widerstand.

Hmm, schon wieder ging der Punkt an den Widerstand. Langsam, aber sicher ging ihr dieser Widerstand ziemlich auf die Nerven. Andererseits hatte er natürlich Recht.

Doch gab ihm das die Berechtigung, sich ihr ständig in den Weg zu stellen, ihr auf die Füsse zu treten und sie vor sich selbst dumm dastehen zu lassen?

«Halt!», sprach der Widerstand. «Ich stelle mich dir immer dann in den Weg, wenn du etwas anders haben willst, als es gerade ist. Das heisst, wenn du mit dir im Kampf bist, weil du etwas ändern willst, was gerade nicht zu ändern ist, oder wenn du dich nicht entscheiden kannst. Dann spiegle ich dich, das heisst, ich zeige dir deine innere Zerrissenheit und die daraus folgende Blockade.

Sonnja fühlte, wie sich wieder eine Verwirrung in ihrem Kopf ausbreitete. Der Widerstand sprach weiter: «Diese Verwirrung hat im Grunde nichts mit mir zu tun. Sie zeigt dir, dass du zu sehr in deinem Verstand hängst und er gerade nicht mit deinem Herzen und deinem Körper verbunden ist.»

Sonnja nahm ein paar tiefe Atemzüge. Sie verband sich bewusst mit ihren Chakren, mit der Erde und dem Universum. Während sie diese Atmung praktiziert und sich ein wenig bewegte, spürte sie, wie ihre Energie wieder in den Fluss und ihre Gedanken zur Ruhe kamen.

Gleichzeitig sah sie, wie sich der Widerstand wieder in den Schaukelstuhl legte. Jetzt strahlte er und sprach: «Wenn du in Verbindung mit deinem Herzen bist, und somit in Verbindung mit dir und allem was ist, brauchst du mich nicht. Dann spürst du ganz klar, was du willst und was es zu tun gibt.

Vielleicht spürst du aber auch, dass es gerade nichts zu tun gibt. Dann geniesse die freie Zeit und entspanne dich.

Wann immer du dich gegen etwas auflehnst, weil du es anders haben willst, als es gerade ist, bin ich sofort zur Stelle und diene dir als Spiegelbild.»

In diesem Moment spürte Sonnja nur noch Leichtigkeit und Liebe. Tief in ihrem Herzen und in ihrem Verstand wurde es ruhig. Es fühlte sich an, als ob eine riesige Last von ihren Schultern fiel.

Dankbar umarmte sie ihren Widerstand und bat ihn, ihr weiterhin als Spiegelbild zu dienen. Der Widerstand strahlte sie an, lächelte verschmitzt und sprach: «Keine Sorge; du gehörst zu mir und ich zu dir. Du bist ein Teil von mir und ich von dir. Nur der physische Tod kann uns zeitweilig trennen, denn dort, auf der anderen Seite des Vorhangs, brauchst du mich nicht.

Im Jenseits, wie ihr Menschen es nennt, seid ihr unendlich und bedingungslos geliebt. In dem Moment, in dem ihr dort ankommt, spürt und wisst ihr es.

Dort gibt es keinen Verstand und keine Dualität, welche euch etwas anderes vorgaukeln kann.

Und somit weisst du nun auch, wozu du mich mit auf die Reise in dieses und in alle vergangenen Leben mitgenommen hast. Ich bin dein sicherer und zuverlässiger Anker. Ich zeige dir stets, wann du sinnlos gegen etwas ankämpfst.»

Dies klang ja alles schön und gut, doch wie konnte Sonnja wissen, was richtig und was falsch ist; wie konnte sie wissen, was sie annehmen und akzeptieren soll und was nicht?

«Jetzt hängst du wieder im Verstand», bemerkte der Widerstand. Wieder atmete Sonja tief durch. Sie erinnerte sich an die Worte des Meisters. Das ganze Leben ist eine Lernerfahrung. Um lernen zu können, muss man ausprobieren. Um aus Fehlern zu lernen, muss man sie zuerst machen können.

Inzwischen war der Widerstand eingeschlafen und Sonnja entschied sich, nun auch schlafen zu gehen.

Am nächsten Tag fühlte sich Sonnja frisch und voller Tatendrang. Heute wollte sie die Heimreise buchen.

Sie spürte, dass sie genug Geschichten gesammelt hatte und freute sich sehr auf das Wiedersehen mit ihrer Familie und ihren Freunden.

Gleich nach dem Frühstück buchte sie ihren Rückflug. Danach ging sie nochmal ins nahe gelegene Dorf zum Einkaufen.

An diesem Tag fielen ihr die Geschenke für ihre Lieben zu Hause praktisch wie von selbst in die Hände. Es schien, als ob ihr Blick immer wieder auf etwas gerichtet wurde, und im selben Moment wusste sie schon, wer sich über dieses Geschenk freuen würde. Nachdem sie die Geschenke in ihrem Koffer verstaut hatte, freute sie sich darauf, ein letztes Mal im Pool zu schwimmen, ein letztes Mal den Sonnenuntergang von Sanur zu geniessen und auf ein letztes, wunderbares Nachtessen bei Kerzenlicht.

Die Vorfreude auf die Heimreise liess sie lange nicht einschlafen. Irgendwann verfiel sie in einen unruhigen Schlaf und träumte von der Zugfahrt nach Hause.

Heimreise

Nach einem langen Rückflug setzte sich Sonnja, erschöpft aber glücklich, am Flughafenbahnhof in den Zug und wartete, dass er losfuhr. Im letzten Moment setzte sich ihr eine Frau gegenüber. Sonnja schaute die Frau an und dachte; bitte nicht noch eine Geschichte, ich bin müde und muss erst einmal alles verarbeiten, was ich in den letzten Wochen gehört und gelernt habe.

Nach einer Weile entschied sie sich, ihr Gegenüber doch einmal genau in Augenschein zu nehmen. Was sie da sah, erstaunte sie sehr.

Die Dame gegenüber schaute sie mit eindringlichem Blick an und stellte sich mit folgenden Worten vor: «Liebe Sonnja, ich bin dein Mitgefühl». Sonnja war völlig überrascht. Nicht nur, dass ihr Gegenüber ihren Namen kannte, sie behauptete auch noch, ihr Mitgefühl zu sein. Und überhaupt, wozu brauchte Sonnja Mitgefühl?

Es ging ihr doch gut. Sie tat das, was jeder vernünftige Mensch tat; sie schaute stets, dass es allen gut ging. Wenn es ihr selbst einmal nicht so gut ging, machte sie sich bewusst, dass es Menschen gab, welche es schwerer hatten als sie, welche schwierigere Situationen durchstehen mussten. So ging es ihr jeweils schnell wieder besser.

Sonnja erlaubte sich nie, selbst in ein Loch zu fallen. Wo kämen wir hin, wenn sich jeder einfach fallen lassen würde, wenn jeder einfach schlapp machen würde, nur weil er müde ist, zuviel gearbeitet hat oder sich krank fühlt?

Während ihr all diese Gedanken durch den Kopf gingen, sah sie, wie Frau Mitgefühl ratlos den Kopf schüttelte, ja sogar zu weinen begann.

Sofort wollte sich Sonnja um die weinende Dame kümmern, doch diese schüttelte still den Kopf.

Sonnja blieb nichts anderes übrig, als diese Szene ratlos über sich ergehen zu lassen.

Dies war eine ganz neue Situation für Sonnja, denn sie war sich gewohnt, immer etwas zu tun und den Menschen mit Rat und Tat zur Seite zu stehen. Sollte sie jetzt einfach zuschauen, wie diese Frau weinte?

Irgendwann entschiede sich Sonnja, sich neben die Frau zu setzen, um sie zu umarmen. Doch die Frau schüttelte sie ab. Sonnja setzte sich, noch ratloser als zuvor, zurück auf ihren Platz. Zum einen war es ihr peinlich, dass sie ihrem spontanen Impuls gefolgt war und die Frau einfach umarmt hatte. Zum anderen machte sie sich Gedanken, was wohl in dieser Frau vorging, dass sie sich in ihrer Trauer nicht einmal umarmen liess.

So plötzlich wie die Frau zu weinen begann, so plötzlich war es wieder vorbei. Die Frau strahlte, als ob nie etwas gewesen wäre. Jetzt war Sonnja restlos verdutzt, doch sie getraute sich nicht mehr, etwas zu sagen.

Nun sprach Frau Mitgefühl: «Liebe Sonnja, wie fühlt es sich an, neben einem Menschen zu sitzen, der weint, der sich nicht trösten lässt und sich von niemandem in den Arm nehmen lässt?»

Sonnja war überrascht von dieser Frage, doch sie freute sich, dass sie gefragt wurde. Sie überlegte einen Moment und antwortete: «Es fühlt sich an, als ob ich nicht erwünscht bin, als ob ich jemanden beim Weinen stören würde, doch ich wollte nur helfen.»

Über die Frage, warum sie denn helfen wollte, musste sie ein wenig länger nachdenken, doch eigentlich war es ja klar. Sonnja litt, wenn andere litten und es ging ihr gut, wenn es allen anderen gut ging. So war es doch nur verständlich, dass sie sich erhoffte und wünschte, dass es allen gut ging.

Auf die Frage, wie es denn ihr ging, wenn sie immer darauf aus war, zu schauen, wie es ihren Mitmenschen ging, reagierte sie mit einem tiefen Seufzer. Es war extrem anstrengend, immer dafür zu sorgen, dass es allen gut ging.

Sonnja war ja nicht Gott und nicht einmal der schaffte es, dass alle Menschen glücklich und gesund waren. Wie sollte sie es denn schaffen?

Obwohl ihr dies vom Verstand her vollkommen klar war, konnte sie es doch nicht lassen, immer ein Auge auf die anderen zu halten. Zu schauen, dass diese von allem genug hatten, oder wenigstens dafür zu sorgen, dass es niemandem schlechter ging als ihr.

Frau Mitgefühl sah Sonnja lange schweigend und nachdenklich an, dann stellte sie ihr folgende Frage: «Wie kannst du hoffen, dass es dir besser geht und dass du genug Geld hast, um dir und deinen Mitmenschen alles zu schenken, was ihr euch wünscht, wenn es dir nicht besser gehen darf als den anderen?

Wie könnte ein Arzt seinen Patienten helfen, wenn er sich selbst nicht erlauben würde, gesund zu sein? Wie können Menschen Geld für Menschen in Not spenden, wenn sie selbst keines haben?»

So hatte das Sonnja noch nie gesehen.

Doch auf die Frage, welche Frau Mitgefühl ihr jetzt stellte, war Sonnja ganz und gar nicht vorbereitet. Die Frage lautete: «Wie kannst du Mitgefühl mit anderen Menschen haben, wenn du keines mit dir selbst hast? Bist du nie auf die Idee gekommen, dass du nur das teilen kannst, was du selbst hast?

Oder umgekehrt; dass du zuerst etwas haben musst, bevor du es teilen kannst?»

Plötzlich wurde es Sonnja ganz schwer ums Herz. Sie begann hemmungslos zu weinen. Zuerst leise, dann brachen die Tränen wie Sturzbäche aus ihren Augen, sie konnte eine Weile gar nicht mehr damit aufhören.

Es fühlte sich an, als ob sie die Tränen aller Menschen dieser Welt weinen würde, als ob sie jeden Schmerz, eines jeden Menschen, auf sich geladen hatte, nur um ihren eigenen Schmerz nicht spüren zu müssen.

Nachdem das heftige Weinen allmählich verklungen war, fühlte sich Sonnja viel leichter, im wahrsten Sinne des Wortes; erleichtert.

Endlich verstand sie, dass weinen auch etwas Gutes und Reinigendes sein konnte. Aber von Frau Mitgefühl in den Arm genommen zu werden, war ihr dann doch etwas peinlich. Wieso eigentlich?

Sonnja wollte doch zu Beginn auch ihren Arm um Frau Mitgefühl legen.

So wurde Sonnja auch auf ihrer Heimreise noch etwas Wichtiges bewusst. Sie war immer diejenige, welche helfen wollte. Sie war diejenige, welche allen gefallen wollte, welche die Menschen zum Strahlen bringen wollte. Dabei hatte sie etwas ganz Entscheidendes vergessen, nämlich das Mitgefühl mit sich selbst.

Als sie dies begriff, liess sie sich in die Arme von Frau Mitgefühl, und in einen erlösenden Schlaf gleiten.

Beim Klingeln des Weckers fühlte sich Sonnja erfrischt und voller Vorfreude auf die Heimreise.

Sie konnte es kaum erwarten, ihre Familie endlich wieder zu sehen, sie in die Arme zu schliessen und ihnen von all ihren Abenteuern zu erzählen.

Am liebsten würde sie die Geschichten mit der ganzen Welt teilen. Darüber wie sie dies anstellen soll, machte sie sich aber noch keine Gedanken, denn wenn sie etwas auf ihrer Reise gelernt hatte, war es, einen Schritt nach dem andern zu machen.

Sonnja auf der Reise zu sich selbst

Zurück in ihrer vertrauten Umgebung wurde Sonnja vom Alltag rasch wieder eingeholt.
Doch noch immer denkt sie gerne an ihre Reise zurück und lässt all das Geschehene und all die wunderbaren Begegnungen Revue passieren.

In den Geschichten, das hat Sonnja inzwischen begriffen, begegnet sie sich immer wieder selbst.
Zum Beispiel im kleinen Wombat, welches doch nur geliebt werden wollte oder in der geduldigen Eule, welche sah, dass das Adlerküken sich einfach noch nicht als solches erkennen konnte.
Dann wiederum im Elefanten, welcher Angst vor seiner eigenen Kraft hatte oder in der kleinen Wasserschildkröte, welche sich glücklich von den Wellen mittragen liess.

Weiss Sonnja nun, was das Leben leicht macht?

Sie ist sich noch nicht sicher, doch es erscheint ihr, dass es damit zu tun hat, wie ihr Verstand Situationen im Leben bewertet.
Sonnja hat sich nun zur Aufgabe gemacht, sich selbst, ihre Gedanken und ihre Reaktionen noch genauer unter die Lupe zu nehmen.
Denn noch immer kann es vorkommen, dass ihr Verstand ihr einredet, dass sie etwas nicht kann, dass man sie nicht sieht, oder dass man ihr ihr Glück nicht gönnt.
Dann nimmt sie diese Gedanken in ihr Herz und lässt sie dort eine Weile ruhen. In dieser Stille wird ihr Herz weit und ihr Verstand ruhig.

In der Weisheit des Herzens ist alles klar,
da verblasst das Geschrei der Gedankenschar.

Über die Autorin

Ruth Scherrer interessierte sich stets für Menschen und ihre Geschichten.
Sie erhoffte sich, dadurch irgendwann das Geheimnis des Lebens und den Sinn dahinter zu verstehen.
Doch ihr Verstand stiess immer wieder an seine Grenzen.

Hartnäckige Gesundheitsprobleme veranlassten sie, immer wieder Neues auszuprobieren.
Dies führte zwar nicht dazu, dass sie den Sinn des Lebens fand, dafür aber Gesundheit, Lebensfreude und ihre persönliche Berufung.

In ihrer Praxis in Baar bietet sie Craniosacraltherapie, Prozessbegleitung, mediale Beratungen und Meditationsabende an.

PRAXIS **RUTH SCHERRER**
Haldenstrasse 5
6340 Baar
076 822 32 40

http://www.die-leichtigkeit-des-seins.ch/

Weitere Bücher von Ruth Scherrer

Die Engel stehen Dir bei
Gedanken, Gebete und Segnungen

Die meisten Menschen wissen, dass es Engel gibt, wissen aber
nicht so recht, wie sie mit ihnen in Verbindung treten sollen.
Dieses Buch hilft Ihnen zur Ruhe zu kommen, sich Ihren eigenen
Gefühlen zu nähern und die Energie der Engel zu spüren.

ISBN 978-3-8423-3293-5
Paperback, 116 Seiten

Beziehungen aus der Sicht der geistigen Welt
Fragen und Antworten, gechannelt von Ruth Scherrer

In diesem Buch geht es nicht nur um Beziehungen zwischen Mann und Frau, sondern auch um Beziehungen zu Eltern, Kindern, Vorgesetzten und vor allem um die Beziehung zwischen uns Menschen und der geistigen Welt.
Es ist ein Geschenk der geistigen Welt an uns Menschen. Sie halten uns einen Spiegel vor, um uns zu zeigen, wie wir uns durch unser Denken und Handeln unser Leben erschweren.
Gleichzeitig zeigen sie uns Lösungswege auf und lassen dabei viel Heilenergie fliessen, welche Sie beim Lesen des Buches auf sich wirken lassen dürfen.
Lassen Sie sich berühren und entdecken Sie eine neue Leichtigkeit des Seins.

ISBN 978-3842367135
Taschenbuch, 128 Seiten